시골사는 평범한 중학생의 평범하지 않은 이야기

PARK, JUWON

시골사는
평범한 중학생의
평범하지 않은
이야기

PARK, JUWON

시골사는 평범한 중학생의 평범하지 않은 이야기

지은이 박주원

발 행 2025년 2월 28일
펴낸이 한건희
펴낸곳 주식회사 부크크
출판사등록 2014.07.15.(제2014-16호)
주 소 서울특별시 금천구 가산디지털1로 119 SK트윈타워 A동 305호
전 화 1670-8316
이메일 info@bookk.co.kr

ISBN 979-11-419-9290-3

www.bookk.co.kr

미래의 나에게

소심하고 부끄럼 많은 과거의 내가
나를 극복하고

용기내어 한 발 한 발
세상을 향한 문을 열고 있는 현재의 내가
나를 응원하며

지구에서 행복하게
많은 생명체들과 함께 살아갈
미래의 나에게

과거와 현재의 나의 이야기를 전합니다.

CONTENTS

첫번째 이야기
그림으로 시작하는 나 10

두번째 이야기
사람들 앞에 서는 나 19

세번째 이야기
세상과 소통하는 나 25

세상에 전한 첫번째 목소리
당신의 쓰레기는 재활용 되지 않았다. 32

세상에 전한 두번째 목소리
감자튀김과 2060 39

세상에 전한 세번째 목소리
요즘아이 탐구생활 51

발표 이렇게 하면 돼!!! 64

CONTENTS

네번째 이야기

71 세상을 과학으로 바꾸는 아이

나의 첫번째 탐구활동

100 플라스틱 쓰레기문제 해결해야한다.
플라스틱 쓰레기 분류 방법 연구

나의 두번째 탐구활동

111 리유저블컵 이대로 사용해도 괜찮을까?
미세플라스틱 검출 및 유해성에 대한 연구

118 탐구활동 이렇게 하면 돼!!!

다섯 번째 이야기

125 평범한 아이의 평범하지 않은 이야기

하나. 청소년과학대장정
둘. 청소년철학캠프
셋. 청소년환경미디어
넷. 수학대중화강연
다섯. 대만국제교류
여섯. AI수학교실
일곱. LGAI청소년캠프

끝나지 않은 이야기

179 내가 그려갈 나의 미래

저는 울산광역시 울주군 서생면 마근마을이라는
시골마을에서 태어났습니다.
봄이면 멋진 배꽃과 벚꽃이 흐드러지게 피고
여름이면 청량한 바람소리가 좋고
가을이면 달콤한 과일 냄새가 가득한
따뜻한 이 곳에서 넓은 세상을 향해서
꿈을 키워나가고 있는 평범한 중학생입니다.
저의 계절은 이제 막 시작하고 있습니다.

you

늘 나를 믿고 응원해 주는 우리 가족들

나에게 따뜻한 마음을 알려주신 김미영 선생님

과학이 재미있는 과목이라는 것을 알려주신 김성열 선생님

세상을 어떻게 살아가야 하는 지 알려주신 장원재 선생님

중학교 생활을 잘 시작하게 도와주신 전혜숙 선생님

방황하는 사춘기인 저를 이해해주신 육심영 선생님

나의 엉뚱한 생각을 응원해주신 정하진 선생님

멀리서 나를 응원해 주고 있을 내 친구 채원이

중학교 생활을 외롭지 않게 해주는 내 친구 시온이

나를 응원해 주시는 모든 분들께

감사의 마음을 전합니다.

첫번째 이야기

그림으로 시작하는 나

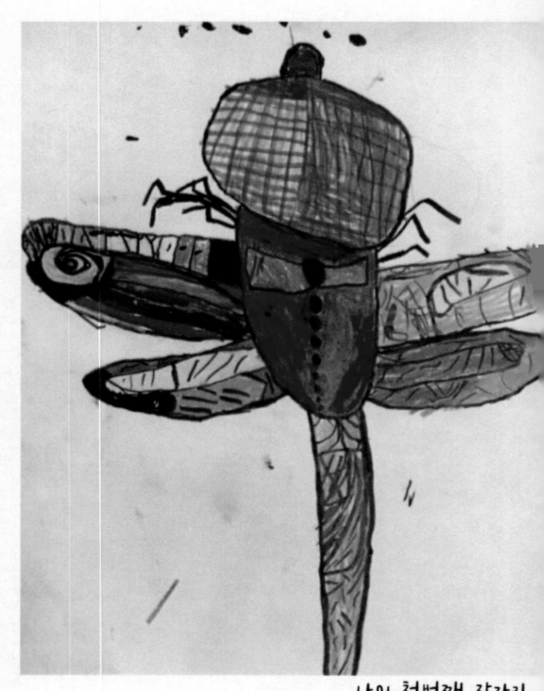

나의 첫번째 잠자리

초등학교 1학년에 입학하면서 학교라는 곳에서 나는 편안함을 느끼지 못했던 것 같다. 계속 나에 대해서 궁금하고 특히 나를 향한 다른 사람들의 평가가 궁금했었다. 다른 친구들보다 한 살 어린 나이에 학교에 입학하게 되면서 조마조마하고 불안한 마음이 컸었다.

그러던 어느 날, 수업 시간에 담임선생님께서 나의 그림을 보며 감탄을 해주셨다.

" 주원아, 너는 어쩜 이렇게 그림을 멋지게 그리니? 정말 화가 같아. 나는 잠자리를 이렇게 그리는 아이를 본 적이 없어."

선생님의 말씀 한 마디에 나는 무척 기분이 좋아졌다.

‘아, 나는 그림을 잘 그리는 사람이구나.’

그 말을 들은 뒤로 매일 매일 새로운 그림을 그리기 시작했다. 미술을 전공한 엄마 덕분에 우리 집은 늘 다양한 미술 재료로 넘쳐났다. 엄마가 남긴 재료들을 이것 저것 꺼내서 다양한 작품을 만들어 보았다. 그 시간이 너무 너무 재미있었다. 이런 나의 모습을 지켜보시던 엄마는 내가 많은 기회를 가질 수 있게 제안해 주셨다.

“이번에 이런 대회 있던데, 한 번 해 볼래?”

아마, 엄마가 ‘이거 해!’라고 이야기 하셨다면, 아마 소심한 나는 도전하기 힘들었을 것이다.

첫 미술대회가 있던 날, 나는 정말 열심히 대회장을 뛰어다녔다. 당일 그림 주제는 야외에 설치되어 있는 미술작품을 보고 느낀 점을 그리는 것이었다.

그림을 그리기 시작해야 하는 순간에도

‘이 작품은 왜 만들어졌을까?’

에 대한 호기심이 그림을 그리는 것보다 먼저 였던 것 같다.

스테인리스와 철로 만든 커다란 화분을 보면서 나는 물을 주고 싶어졌다. 내가 물을 주면, 꽃이 더 활짝 필 것 같아서 부모님께 물조리개를 부탁드려서 물을 주는 척을 해 보기도 했다.

설치미술제 사생대회 출품작

다른 친구들은 모두 다 그림을 그리기 시작했는데, 나는 시작도 하지 않고 있으니, 바라보시던 부모님들께서

' 오늘 작품을 못내고 가겠구나.'

라고 생각했다고 나중에 알려주셨다.

그렇지만 갑자기 다양한 작품들 중에서도 그 화분이 내 마음을 움직였다. 나는 기억이 잘 안나지만, 부모님들께서는 숨도 안쉬고 한 번에 그려내는 모습이 무척 신기하고 기특했다고 하셨다. 그렇게 제출한 작품은 잊고 있었는데, 금상을 받았다고 연락이 와서 너무 신기하고 기뻤다.

이후로 선생님들께서 추천해 주신 크고 작은 대회들을 많이 출전해서 좋은 성과를 거뒀었다. 그래도 시간이 지난 지금 내 마음 속에 남아있는 2가지 대회가 있다.

첫 번째 대회는 대한항공에서 열린 '내가 그린 예쁜 비행기'라는 대회였다. 그전에는 미술대회에 나가면 부모님이 주변에 계셔서 이것 저것 챙겨주시고 했었는데, 이 대회는 엄청 신기했다. 각자 정해진 자리가 있고, 그곳에서 혼자서 알아서 그림을 다 그려서 완성하고 제출하는 방법으로 진행되었다.

대회가 진행되는 동안 부모님께서는 나를 멀리서 지켜보셨다. 사실 나중에 안 사실이지만, 이 대회에서 내가 가장 어린아이였다고 한다. 나는 초등학교 입학을 다른 친구들보다 일찍 해서 초등학교 1학년 중에서 가장 어렸고, 대회 참가 기준은 초등학교 1학년 부터 6학년까지 가능했기 때문이다.

내가 그린 예쁜 비행기 대회장모습

내가 그린 예쁜 비행기 시상식

중간에 포기하고 나가는 친구들도 많았지만, 나는 그날 정말 마지막까지 남아서 그림을 그렸다.

주제가 '나의 반려동물'이었는데 나는 당연히 우리 집에 있는 루이스를 떠올렸다. 그리고 우리 루이스가 집안에서 집밖으로 이사가는 날을 그렸다.

1등을 한 언니 오빠들의 그림은 비행기에 직접 래핑이 되어서 전세계를 날아다니고 있다. 아쉽게도 나는 2등을 해서 비행기에 래핑은 되지 않았다.

그런데 시상식날 관계자분들이 내게 와서 이런 질문을 하셨다.

" 루이스는 너구리야?"

다들 루이스가 강아지가 아니라 너구리라고 생각하셨다고 했다. 그런데 내가 루이스 사진을 보여드리자, 다들 '아~' 라고 하면서 내 그림을 이해해 주셨다.

내게 큰 상을 받게 해주고 이런 경험을 하게 해준 루이스는 지금도 우리 가족으로 함께 살아가고 있다.

내가 그린 예쁜 비행기 시상식

멕시코 세계 어린이 미술대회 출품작

두 번째 대회는 내가 우리 나라 뿐만아니라 다른 나라에서도 인정받을 수 있었던 '멕시코 세계 어린이 미술대회'였다.

이 대회는 '프리다칼로'라는 멋진 화가를 만나면서 알게 된 대회이다. '코코'라는 애니메이션을 보게 되었는데, 멕시코라는 나라에 너무 큰 관심을 가지게 되었다. 그리고 그 애니메이션에 나오는 그림체와 비슷한 그림을 보게 되었는데, 그 작품의 작가가 '프리다칼로'였다. 지금도 내가 가장 좋아하는 작가 중 한 명이다. '프리다칼로'의 그림을 검색하다가 이 대회를 만나게 되었다. 당시 주제는 '나의 멕시코'였다. 나에게 멕시코는 '프리다칼로'였으므로 프리다칼로와 내가 함께 그림을 그리는 장면을 그렸다.

이 그림은 내가 특별한 경험을 하게 해주었다. 전세계에서 아이들이 그림을 보내면 30장의 그림을 뽑아서 그 다음해의 달력으로 만들게 되는데, 내가 그린 그림이 뽑히게 되었다. 그래서 나는 주한멕시코대사관에 초대를 받게 되었다. 사실 대사관이라는 곳을 처음 방문하는 것이라서 무척 긴장을 했었다. 그래서 서울에 계신 우리 할아버지께 함께 가자고 부탁을 했다. 당일 아빠는 바쁜 일이 있어서 못 오시고 엄마와 내가 서울로 가서 할아버지와 할머니를 만나서 멕시코 대사관을 방문하였다. 너무 떨렸었는데, 모두들 반겨주시고 나를 축하해 주셔서 행복했다. 내가 미리 인사말로 '올라, 그라시아스'라는 말을 준비했는데, 다들 칭찬해주셨다.

멕시코 대사관에서 대사님과 함께

Park Juwon
Embajada Corea
8 años

 그 때 처음으로, 나는 내가 그림을 좋아하는 것인지, 칭찬 받기를 좋아하는 것인지 헷갈렸던 것 같다. 내가 그린 그림을 칭찬해 주시는 것도 행복했지만, 내가 하는 말을 칭찬해 주시는 것도 무척 기분이 좋았다.

그렇게 나는 수많은 그림을 그렸고, 많은 대회에 참가했다. 그리고 많은 수상을 하면서도 처음 그림을 그리면서 칭찬을 받을 때 만큼 기쁘지 않았다.

여러 미술대회 참여 모습

두번째 이야기

사람들 앞에 서는 나

초등학교 2학년 때, 학교에서 자신의 꿈에 대한 발표를 하는 시간이 있었다. 그 때 나는 승마를 배우고 있었는데, 승마 선수가 되면 좋겠다는 생각을 했었다. 그래서 발표하는 날 나의 꿈을 발표하였다. 내 꿈을 내가 사람들 앞에서 직접 이야기 하는 순간이 너무 설레고 신났었다. 그래서 나는 내가 발표를 잘 한다는 생각을 했다. 그리고 내가 발표하는 모습을 보시고 많은 분들이 나에게 특별한 발표 기회를 많이 주셨다.

첫 번째 무대는 초등학교 2학년 때, 나가게 된 '낭송 낭독 대회'였다. 우리 학교는 시골에 있는 초등학교 였는데 전교생이 다같이 서로 이름을 알정도로 친하고 무슨 활동이든지 함께 하는 분위기였다. 그래서 그 내용으로 내가 지은 동시를 발표하게 되었다.

우리 마을 주변은 배농사를 많이 짓는 곳인데, 배는 이른 봄 부터 수확을 할 때 까지 정말 많은 노력이 들어가는 작물 중의 하나이다. 그런 모습이 우리가 자라가는 과정과 닮았다는 생각이 들었다. 그래서 '우리는 보배랍니다'라는 동시를 쓰게 되었다. 발표를 준비하는 기간동안 시를 외우고 발표 연습을 하면서 무척 힘들었지만, 마치고 내려올 때의 그 떨림은 잊을 수 없다.

낭송 낭독대회 출전 장면

우리는 보배랍니다
박주원
우리 선생님은
우리 보고 보배래요.
보배가 뭐예요?
맛있는 배 말이에요?
통통통 멋진 배 말이에요?
아니아니
반짝반짝
보석처럼
사각사각
달콤한 배처럼
예쁜 마음 가득한 너희들이란다.
아하,
우리는 보배랍니다.

내가 그린 시화

프린세스 아카데미 참여 모습

두 번째 무대는 TV를 보다가 디즈니 공주를 찾는다는 이야기에 부모님을 졸라서 신청을 해 보게 되었다. 그때 나는 자스민 공주에 빠져 있었는데 자스민이 자신의 운명을 이겨 내는 모습이 너무 멋있었다. 그래서 자스민 같은 공주가 되고 싶었던 것 같다. 이렇게 우연히 신청한 '디즈니프린세스 아카데미'에 뽑히게 되어서 방송 출연을 하게 되었다.

엄마와 KTX를 타고 지하철을 타고 찾아간 한 호텔에서 나처럼 공주가 되고 싶은 친구들을 많이 만났다. 외모를 멋지게 꾸미고 온 친구들이 많았는데, 왜 공주가 되고 싶냐는 질문에 대답을 하는 친구는 나밖에 없었다. 그래서 인터뷰를 하게 되었는데, 내 이야기를 들은 사람들이 나에게 정말 멋진 공주가 될 것 같다고 이야기 해주었다.

세종대왕 소헌왕후대회 예선

세 번째 무대는 '세종대왕 소헌왕후대회'였다. 디즈니프린세스아카데미에서 나를 좋게 보신 관계자 분이 이런 대회가 있다고 추천해 주셨다. 자세하게 대회 요강을 보지 못하고 '세종대왕 소헌왕후대회'라고 해서 나는 정말 열심히 세종대왕과 소헌왕후에 대해서 공부를 하고 예선대회에 참가했다.

그날 예선을 치르면서 정말 당황했었다. 다들 멋진 댄스, 노래 등등을 준비했는데, 나는 왜 세종대왕이 훌륭한 왕인지, 소헌왕후는 어떤 분이었는 지에 대해서 설명을 했었다.

심사위원님들께서 한참을 웃으시더니,

"본선대회가 무대가 엄청 크고, 떨릴텐데 괜찮겠니?"

라고 물어보셨다. 무슨 용기가 났는지, 잘 할 수 있다고 대답했다. 그리고 일주일 뒤 본선대회에 참가를 준비하라는 연락을 받았고, 이번에는 대회 요강을 제대로 읽고 준비해 오라는 당부를 받았다.

본선 대회 수상 후

본선 대회 시상식 파티 참석

이 일이 있은 이후로 나는 무슨 대회를 나가던지 요강을 정말 꼼꼼하게 읽어본다. 예선 합격 소식을 듣고 요강을 읽어보았는데, 엄마가 옛날로 생각하면 '미인대회'같은 것 같다고 하시면서 포기하는 게 좋겠다고 이야기 하셨다. 그렇지만 나는 내가 시작한 일을 끝까지 해보고 싶어서 끝까지 해보고 싶다고 이야기 했다.

부모님은 걱정을 하셨지만, 내 의견을 존중해 주셨고 2달 정도 대회를 준비하면서 워킹도 해보고 간단한 전통 춤도 준비하면서 시간을 보냈다.

대회 당일 정말 큰 무대에 서게 되었다. 정말 두근거렸지만 2번의 리허설을 하면서 나는 충분히 자신감이 생겼다.

결국 나는 나의 노력으로 인기상을 받게 되었다.

약 천 명이 넘는 관계자들 앞에서도 떨지 않고 내가 준비한 것들을 해내는 내가 너무 자랑스러웠던 순간이다.

세번째 이야기

세상과 소통하는 나

초등학교 5학년 때, 우리 학교는 '탄소중립중점학교'였다. 사실 큰 관심은 없었지만, 담임선생님께서 자꾸 이야기 해주셔서

' 아, 재활용을 열심히 해야겠다.'

정도의 생각을 했던 것 같다. 친구들과 함께 재활용품을 이용해서 이것 저것 만들어 보고 하는 수업이 재미있었다. 그러다 문득 탄소중립에 대해서 궁금해졌다.

선생님께서는 일상생활에서 우리는 탄소를 배출하게 되는 데 이미 배출된 탄소에 대응할 수 있는 만큼의 행동을 해서 탄소배출량을 0으로 만드는 것이라고 설명해 주셨다.

 이 내용을 조금 더 알아보고 싶어서 탄소중립에 대한 자료를 찾아보기 시작했다. 읽어 볼 수록 내용은 어려웠다. 일상생활 속의 탄소배출량을 계산하는 것이 가장 큰 어려움이었다. 그러다가 가정내 탄소배출량을 계산해 주는 사이트를 알게되었다. 선생님께 말씀을 드렸더니 우리 교실에서 나오는 탄소배출량을 같이 계산해보자고 하셔서 1달 동안의 탄소배출량을 계산해 보았다. 생각보다 많은 탄소배출량이 있다는 것을 알게되었다.

 그리고 학교에서는 네프론이라는 기계가 들어왔다. 정말 자판기처럼 생겼던 기계는 우리 모두의 호기심을 자극했다.

네프론 등장 첫 날

“중앙현관에 자판기가 생겼대!”

“동전을 넣으면 음료수가 나올까?”

학교는 하루 종일 떠들썩했다. 그렇지만 그날 학교 방송에서 선생님께서 자원순환로봇이라고 말씀해주셨고 우리는 실망할 수 밖에 없었다. 그러나 곧 각 학급별로 네프론에 패트병을 넣어서 적립을 하면 선생님께서 한달에 한 번씩 통계를 내서 1등을 한 반에게는 간식 선물을 주겠다고 하셨다. 실망스러웠던 우리들은 갑자기 신나기 시작했다. 그리고 집에 있는 건 다 가져오자. 동네 분리수거장에 있는 것은 다 모아서 오자. 다양한 의견이 나왔다.

사실 나는 우리 집에서 플라스틱 패트병을 잘 쓰지 않아서 고민이 많이 되기도 했다. 용돈으로 음료수를 사먹어야 하나? 하는 생각도 하게되었다.

네프론이 생기면서 우리 학교는 변하기 시작했다.

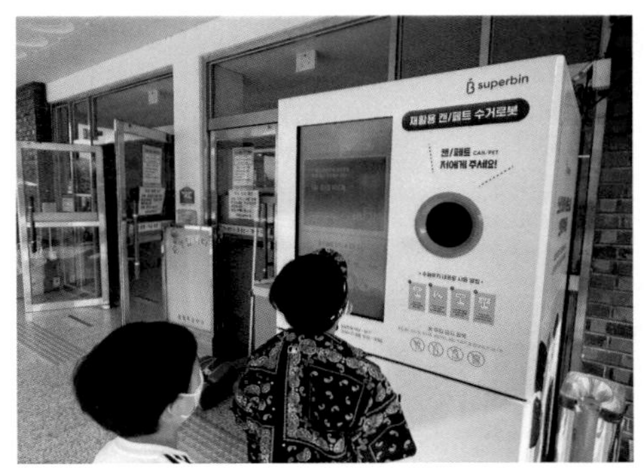

슈퍼빈 담당 선생님 설명

나는 아이들의 진지한 모습이 재미있기도 하고 가끔 제대로 분리되지 않는 페트병을 네프론이 거부하는 모습에 흥미를 느꼈다.

그렇게 며칠이 지나고 나서 네프론을 만드신 분들이 우리 학교를 방문하셨다. 그리고 우리에게 왜 이렇게 투명한 페트병으로 수거해야하는 지 이유를 말씀해 주셨다.

잘 분류된 페트병은 재활용을 할 때 좀 더 값어치 있는 자원으로 쓰일 수 있다고 했다. 불순물이 없는 상태로 재활용을 할 수 있게 되면 재활용비용도 줄일 수 있다고 하셨다.

나는 우리가 버리고 있는 쓰레기가 어디에 있는 지 더 궁금해졌다. 많은 양의 쓰레기가 모이는 곳을 본 적이 없기 때문이었다. 그래서 우리 마을 주변의 재활용 쓰레기장에 대한 정보를 찾아보았다.

거의 대부분의 폐기물처리시설은 처리 가능한 양을 넘어서고 있다는 것을 알 수 있었다.

'그렇다면 대체 우리가 버리는 쓰레기들을 다 어디에 있을까?'

궁금증이 쌓여갈 때 즈음 서점에서 한 권의 책을 찾게 되었다. 제목부터 조금 불편했다. 우리가 재활용을 위해 모은 쓰레기들이 재활용되지 않았다니, 왜 이렇게 이야기 하는 지 더 궁금해져서 책을 읽어보았다.

미카엘라 르 뫼르라는 사람이 쓴 책인데, 인류학 박사로서 2011년부터 폐기물, 플라스틱 재료, 재활용 등에 대해서 연구하는 분이다.

책의 첫 부분은 당신이 '분리수거한' 플라스틱이 도착하는 곳, 민카이 마을로 시작한다. 그곳에서 세계에서 모인 쓰레기들이 어떻게 되고 있는 지를 현장에서 지켜보던 그가 쓰레기 재활용의 실체에 대해서 알게 된 것을 낱낱이 알려주는 내용으로 마무리 된다.

나는 이 책을 읽으면서 제목을 보고 불편했던 것 보다 더 많이 불편해졌다.

'진짜 우리는 이 문제를 해결할 수 없는 것일까?'

'이 문제를 해결하는 짠하는 획기적인 방법은 없을까?'

나 혼자의 힘으로 그것을 해내기에는 나는 너무 어리고 부족했다. 그렇다면, 내가 알게 된 이 사실을 사람들에게 이야기 해주면 어떨까? 하고 고민하게 되었다.

그러던 중 청소년 환경문화제라는 행사를 알게 되었고, 초등학생이지만 한 번 당당하게 신청을 해보았다. 내가 알게된 사실을 알리는 것 만으로도 사람들이 한 번이라도 이 쓰레기 문제에 대해서 고민해 보지 않을까? 하는 마음에서였다. 준비과정은 쉽지 않았지만, 열심히 고민하고 자료를 찾아보면서 내가 알게 된 것을 빨리 사람들에게 더 알리고 싶은 마음이 생겼다.

세상에 전한 첫번째 목소리

당신의 쓰레기는 재활용 되지 않았다.

청소년환경문화제 프리젠테이션
2022.06.22. 울산MBC

안녕하세요?

저는 월평초등학교 6학년 1반 박주원입니다.

올해 저희 학교에는 특별한 기계가 하나 생겼는데요.

처음 그 기계가 우리 학교 중앙현관에 자리잡았을 때, 무척 신났었습니다. 왜 그랬을까요? 꼭 자판기처럼 생겼었거든요.

이제 시원한 음료수를 학교에서 사 먹을 수 있지 않을까? 하는 기대를 가지고 있었는데, 안타깝게도 그 기계는 순환자원회수로봇 네프론이었습니다.

처음 만난 네프론은 무척 신기했습니다. 라벨을 제거한 캔이나 페트병을 기계에 넣으면 반별로 수퍼빈포인트를 주었습니다. 그리고 이 프로젝트를 운영하시는 선생님들께서 직접 학교에 오셔서 우리가 모으는 쓰레기들이 어떻게 재활용 되는 지 설명해 주셔서 더 관심을 가지게 되었습니다. 게다가 매달 가장 많은 수퍼빈을 모은 학급에는 상을 주기로 하면서 친구들이 열심히 참여했습니다. 그리고 어떤 친구들은 물병에 싸오던 물 대신 플라스틱 생수병에 담긴 물을 가져와 마시고 남은 물은 버리면서까지 수퍼빈을 모으기 시작했습니다.

그러다 저는 갑자기 궁금해졌습니다. 우리가 이렇게 모은 것들 말고 다른 곳에서 모이는 쓰레기들은 어디로 갈까?

그리고 저는 전세계에서 이렇게 버려지는 쓰레기들은 어디에 있을까? 라는 궁금증이 생기게 되었습니다. 왜냐하면 제가 살고 있는 마을 어디에서도 이런 쓰레기를 처리하는 것을 보지 못했기 때문입니다.

그렇게 책과 인터넷을 통해 조사한 결과, 아세안의 여러 국가에 선진국의 쓰레기들이 모이고 있다는 것을 알게되었습니다.

먼저 베트남의 플라스틱 마을 민카이, 민카이는 하노이 인근에 위치한 이 마을은 농사를 주로 지었지만 해외에서 들여오는 쓰레기들로 인하여 더이상 농사를 지을 수 없는 상황입니다. 또 이렇게 위험한 환경 속에서 마을 사람들이 대부분 쓰레기를 분류하는 일을 하고 있습니다.

두 번째 필리핀의 쓰레기 마을 톤도, 톤도는 원래 어획량이 풍부해 필리핀 내에서도 살기 좋은 마을이었지만 해외에서 들여오는 쓰레기들로 인해 지금은 사람들이 살 땅 조차 없는 상황입니다.

마지막으로 플라스틱 쓰레기 최대 수입국 말레이시아 젠자롬, 젠자롬은 사진에서 보이는 팜트리 숲이 있어 팜오일을 많이 생산했다고 합니다. 하지만 해외에서 들여온 분류되지 않은 쓰레기들을 태우다가 저렇게 수질 오염까지 일으키고 있습니다.

여러분, 우리들의 쓰레기는 단지 우리 눈 앞에서만 사라진 것이었습니다. 다른 나라에서 또 다른 환경오염을 일으키고 있었습니다.

우리들의 쓰레기는 친환경적으로 재활용되지 않았습니다.

재활용할 플라스틱을 모으기 위해 플라스틱 생수병에 담긴 물을 마시는 것이 과연 바람직한 방향일까요? 최대한 쓰레기를 줄이기 위해 노력하는 것이 우리 환경에 더 도움이 되는 일이 아닐까요?

이상 저의 이야기 들어주셔서 감사합니다.

이 발표가 끝나고 내 마음은 홀가분해 진 것이 아니라 더 무거워졌던 것 같다. 이렇게 많은 사람들에게 이런 나의 생각을 전했으니, 뭐라도 해야겠다는 생각이 들었다.

그 즈음 우리 학교는 공간혁신사업으로 아이디어를 제공할 학생 TF팀을 모집하고 있었다. 그래서 나는 내가 가지고 있는 아이디어를 직접 실현해 볼 수 있는 이 팀에 참여하게 되었다.

처음에는 건축가 선생님을 만나 우리가 꿈꾸는 학교를 상상해 보라고 하셨다. 나는 이 당시 '지속가능'이라는 단어에 심취되어 있었다. 그래서 한 번하고 마무리 되는 그런 공간이 아니라 계속해서 살아숨쉬는 그런 학교 공간이 만들어졌으면 좋겠다는 이야기를 했다. 내 이야기를 들으신 건축가 선생님께서 그러면 지속가능하게 할 수 있는 활동을 한 번 기획해 보라고 제안해 주셨다.

공간 혁신 프로젝트

우리 마을 만들기 프로젝트 운영

한참을 고민하다가 친구들과 함께 오래 오래 우리가 이 곳에 기억될 만한 프로젝트를 하자고 제안했다. 우리 학교는 도심 속의 섬 같은 학교였다. 도심지에 있지만 재개발로 인해 사람이 많이 살지 않아서 다문화가정, 독거노인가정 등 사회적 약자가 많은 곳이었다. 그렇다보니 학교는 주변 사람들에게도 정말 중요한 공간이었다. 그래서 우리 이웃과 우리가 함께 할 수 있는 마을입주행사를 기획하게 되었고, 우리가 작은 마을을 만들어서 그 마을에 각자 자신의 캐릭터를 살고 싶은 공간에 살게 하는 그런 프로젝트였다.
우여곡절도 많았지만, 나와 친구들은 이 프로젝트를 성공적으로 이끌었다.

월평마을 만들기 프로젝트 성공!!

지금도 내가 졸업한 초등학교를 들르면 친구들과 열심히 고민한 흔적들이 남아있다. 특히 선배님들과 함께 마을의 소외받는 사람들과 함께 예술수업을 하는 프로젝트 관련해서 창업대회에 나간 적이 있는데, 초등학생들이 이런 생각을 어떻게 했는 지 궁금해 하면서 많은 칭찬을 받았었다.

프랜차이즈 업계 '감자튀김' 중단 반복…감자 수급 정상화 언제쯤?

써브웨이 감자 메뉴 판매 중단, 버거킹 일부 매장 일시 판매 중단

윤수현 기자 | ysh@newsprime.co.kr | 2022.05.26 11:24:45

웨지 포테이토
일시 판매 중단 안내

이상 기후에 따른 감자 수확량 감소와
지속적인 물류대란으로 인해
수급이 불안정 하여 웨지 포테이토 제품의 판매가
한시적으로 중단됩니다.
(웨지 포테이토, Cheesy 웨지 포테이토, Bacon Cheesy 웨지 포테이토)

양해 부탁드리며, 빠른 시간 내 공급이 정상화 될 수 있도록
최선을 다하겠습니다.
감사합니다.

코로나 19를 거치면서 우리는 정말 많은 변화를 거쳐왔다. 이런 변화 속에서 나는 내가 살아갈 지구가 과연 안전한가?에 대한 의문이 생기기 시작했다.

그러다가 우연히 뉴스를 하나 보게 되었는데, 내가 좋아하는 감자튀김을 당분간 먹을 수 없다는 이야기였다. 부모님께 이게 무슨 일이냐고 여쭤보니,

“아마, 코로나19로 무역을 하기 어려워져서 그런 것 같아. 우리가 좀 참아야 하지 않을까?” 라는 이야기만 해 주셨다.

나는 좀처럼 이해할 수 없었다. 갑자기 감자튀김이 사라지다니, 이러다 내가 좋아하는 음식들이 다 하나씩 사라져 버리면? 하는 공포심이 생겼다.

이런 생각을 하고 있는 찰나, 교육청에서 연락이 왔다. 지난 번 환경문화제에서 내가 한 발표가 많은 사람들에게 울림이 있었다며 이번에 기후위기대응 관련한 행사를 하는 데, 발제를 해 줄 수 있겠냐고 하셨다. 일단 좋은 기회이니 해 보겠다고 했다. 그런데 발표를 준비하면서 내가 걱정하던 감자튀김 판매 중단이 기후위기로 인한 것임을 알게되었다.

탄소중립을 실천하는 것이 중요하다는 것을 배울 때만 해도 '기후위기'라는 단어가 어떤 의미인지 잘 몰랐다.

그리고 내가 감자튀김이 사라지는 것을 지켜보면서 느낀 감정이 앞으로 우리가 변하지 않으면 겪게 될 수많은 일들 중 아주 작은 하나라는 사실을 알게되었다.

그래서 가장 먼저 기후위기로 우리가 겪게 될 것들에 대해서 찾아보았다. 그 때 가장 먼저 찾아 본 자료가 '2060 사라지게 되는 것들' 이라는 보고서였다.

감자튀김과 2060

기후위기대응을 위한 1000인의 원탁토론회
2022.10.22. 울산컨벤션홀

안녕하세요?

저는 깨끗한 지구에서 행복하게 살기를 꿈꾸는 월평초등학교 6학년 박주원입니다.

여러분은 감자튀김을 좋아하세요?

저는 감자튀김을 무척 좋아하는데요, 최근 패스트푸드점에서 감자튀김이 사라졌습니다.

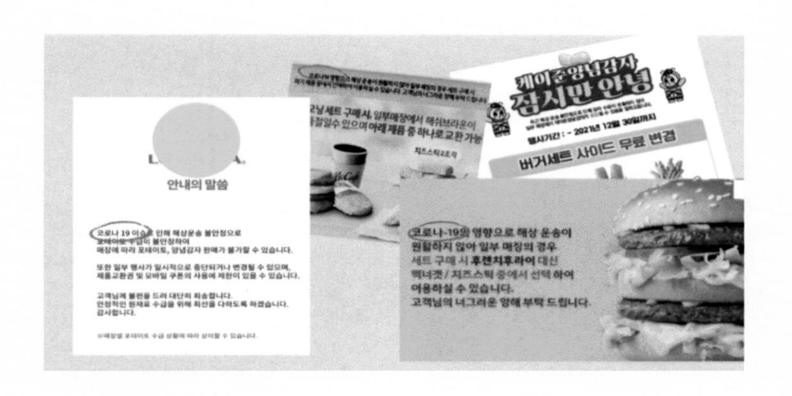

'코로나 19 이슈로' 라는 말로 시작하는 안내문을 보면서 너무 속상하기도 하고 궁금해서 여러 기사를 찾아보게 되었는데,

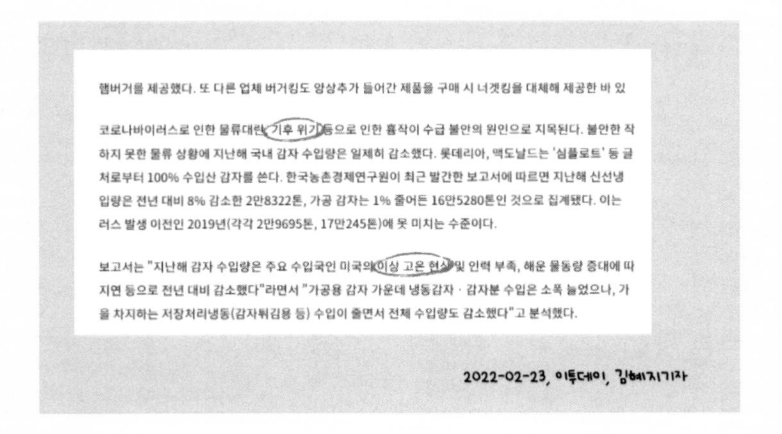

햄버거를 제공했다. 또 다른 업체 버거킹도 양상추가 들어간 제품을 구매 시 너겟킹을 대체해 제공한 바 있

코로나바이러스로 인한 물류대란, 기후 위기 등으로 인한 흉작이 수급 불안의 원인으로 지목된다. 불안한 작하지 못한 물류 상황에 지난해 국내 감자 수입량은 일제히 감소했다. 롯데리아, 맥도날드는 '심플로트' 등 글처로부터 100% 수입산 감자를 쓴다. 한국농촌경제연구원이 최근 발간한 보고서에 따르면 지난해 신선냉입량은 전년 대비 8% 감소한 2만8322톤, 가공 감자는 1% 줄어든 16만5280톤인 것으로 집계됐다. 이는러스 발생 이전인 2019년(각각 2만9695톤, 17만245톤)에 못 미치는 수준이다.

보고서는 "지난해 감자 수입량은 주요 수입국인 미국의 이상 고온 현상 및 인력 부족, 해운 물동량 증대에 따지연 등으로 전년 대비 감소했다"라면서 "가공용 감자 가운데 냉동감자 · 감자분 수입은 소폭 늘었으나, 가을 차지하는 저장처리냉동(감자튀김용 등) 수입이 줄면서 전체 수입량도 감소했다"고 분석했다.

2022-02-23, 이투데이, 김혜지기자

제 눈길을 끄는 기사가 하나 있었습니다. 감자수입량의 감소가 '기후 위기 등으로 인한 흉작, 이상 고온 현상' 이 원인이 된다는 내용이었습니다.

기후위기로 감자튀김을 못 먹는다고?

궁금해진 저는 여러 자료를 찾아보았습니다.

그린피스 기후위기 식량보고서에 따르면 기온이 1도 상승할 때 마다 감자 생산량은 5% 감소할 것이고, 2060년이 되면 현재보다 32%나 감자 생산량이 줄어들 것으로 예측하고 있습니다.

2060년이 되면 사라지게 될 식량은 감자만이 아닙니다.
사과 꿀 고추 밀 커피 조개 콩 까지 우리 식생활에 많은 부분을 차지 하는 것들이 사라질 수도 있습니다.

특히 콩의 경우 동물들의 식량으로 많이 이용하기 때문에 우리 식탁에서 고기가 사라질 수도 있습니다.

2022년에 우리가 이렇게 쉽게 먹던 음식들이 2100년이 되면 먹을 수 없게 될 수 도 있습니다. 우리가 기후 위기에 대응하지 않는다면 말이죠.

그렇지만, 우리가 생각을 바꿔서 행동한다면 바뀔 수 있습니다.

우리 학교에서는 자원순환회수로봇을 이용해서 플라스틱 병을 분리수거 하여 재활용하기 좋은 원료를 만드는 데 기여하고 있습니다.

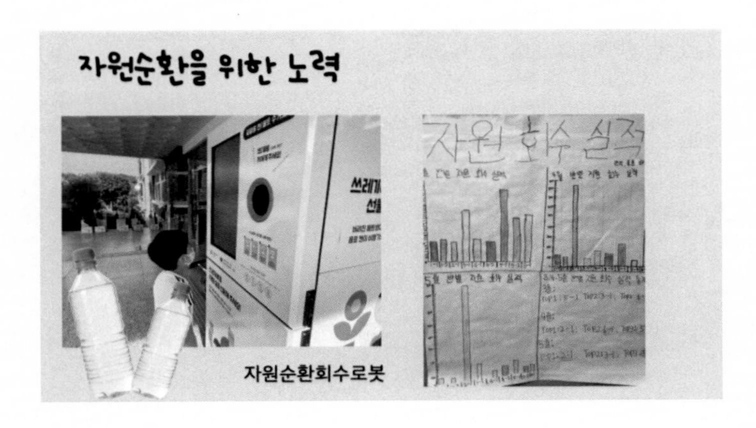

그리고 매주 월요일은 고기없는 날로 정해서 채식급식을 실천하고 있습니다. 고기가 없어서 아쉬워하는 친구들도 많았지만, 지금은 그 취지를 잘 이해해서 어떤 새로운 음식이 나올까? 궁금해 하고 있습니다.

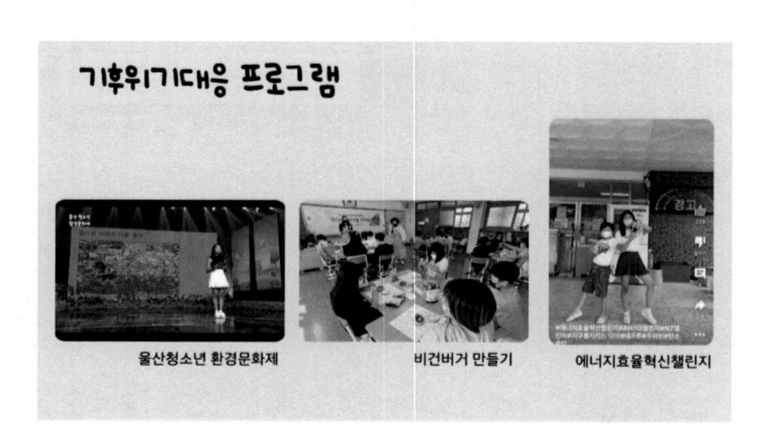

기후위기에 대응하기 위한 많은 사람들의 생각과 마음을 모으기 위한 다양한 활동들이 많습니다. 그래서 이런 활동들에 참여하면서 우리의 마음을 모을 수 있습니다.

또 울산에는 곧 기후위기대응 교육센터가 문을 열어 다양한 체험프로그램을 통해 기후위기대응 역량을 키울 수 있습니다.

여러분!

여러분은 2060년이 되면 몇 살이 되시나요?

저는 42살이 됩니다. 42살의 저는 맛있는 감자튀김을 저의 아이들과 함께 먹고 싶습니다

우리가 함께 힘을 모아서 기후위기에 대응해 보면 어떨까요?

저의 이야기 들어주셔서 감사합니다.

1000인의 원탁토론회 발표 장면

많은 사람들 앞에서 나의 이야기를 한다는 것은 쉬운 일이 아니었다. 그렇지만 나의 이야기가 다른 사람들에게 전달이 되어 울림을 줄 수 있다는 것을 깨닫게 되면서 그 기쁨을 알게 되었고, 그 무게가 크다는 것도 알게되었다.

발표를 마치고 내려오면서 사람들의 많은 응원을 받았는데, 1000명이 넘는 사람들이 나의 목소리에 귀 기울여준 순간은 내 평생에 잊을 수 없는 기억이 되었다.

이런 나의 노력과 관심을 주변에서도 많이 알아봐주셨다.

우리 울산에는 기후위기대응교육센터가 문을 열었는데, 감사하게도 내가 홍보 영상에 출연할 수 있는 기회를 얻게 되었다. 작가님이 보내주시는 콘티를 보면서 처음으로 연기연습도 해 가면서 촬영 준비를 했다.

기후위기대응교육센터 홍보영상촬영

기후위기대응교육센터 홍보영상촬영

정말 추운 겨울이었는데, 정말 떨면서 촬영을 했다. 그래도 내가 기후위기대응교육센터를 홍보할 수 있다는 책임감에 무척 뿌듯했다. 생각보다 내 모습 보다는 목소리가 많이 나왔지만 재미있는 경험이었다.

 이런 나의 여러 가지 활동을 지켜보시던 분들께서 ‘요즘아이 탐구생활’이라는 프로그램에 나를 섭외해 주셨다. 사실 그 즈음 나는 중학교에 입학하게 되었는데, 내가 다니던 초등학교에서 멀리 떨어진 시골의 한 중학교에 입학하게 되었다. 입학식 첫 날 부터 학교에 나가고 싶지 않았고, 너무 떨리고 무서운 마음으로 학교 교실에 갔었던 기억이 있다. 그렇지만 따뜻한 담임선생님을 만나 용기를 내어 학교 생활을 시작할 수 있었다. 그리고 친구들도 내가 하는 활동을 함께 해 주어서 기쁜 마음으로 생활할 수 있었다.

 처음으로 용기를 내어 ‘세상을 과학으로 바꾸는 아이들’이라는 자율동아리를 만들게 되었다.

 친구들이 처음에는 큰 관심을 가지지 않았었는데, 내가 앞으로 하게 될 활동들에 대해서 설명을 하니, 한 두명씩 관심을 가져주기 시작했다.

지구의 날 캠페인

지구의 날 캠페인

그렇게 가장 처음으로 준비한 활동은 '지구의 날 소등'에 대해서 홍보하는 것이었다.

사실 '지구의 날 소등' 행사를 당연히 친구들이 알고 있을 것이라고 생각했지만, 현실은 달랐다. 왜 불을 꺼야 하는지, 왜 이런 날이 생겼는 지에 대해서 모르는 친구들도 많았다. 그래서 더 적극적으로 이 내용을 알려야 겠다는 생각을 했다.

한 가정이라도 더 이 행사에 참여하게 된다면 지구가 잠깐 쉬어갈 수 있다고 생각하니 힘들지만 참을 수 있었다.

홍보활동은 아침 등교 시간에 하게 되었다. 미리 홍보판을 준비하고 친구들과 함께 등교하는 친구들에게 지구의 날에 대해서 설명하고 참여하는 방법에 대해서 알려주었다.

생각보다 많은 친구들 선배들이 참여해 주었고, 우리 반 친구들도 적극적으로 참여해 주었다.

여기에서 조금 더 용기를 내어 우리 학교의 분리수거 현황에 대해서도 조사해 보았다. 우리 학교는 학생수만 해도 1000명이 넘는 학교인데, 많은 양의 쓰레기로 인해서 그 처리에 어려움이 많았다. 그래서 분리수거에 대한 인식에 대해서 알아보기로 했다.

이 부분 역시 친구들과 함께 조사를 계획하고 점심시간과 쉬는 시간을 활용해서 친구들의 인식 조사를 해 보았다.

세상에 전한 세번째 목소리

요즘아이 탐구생활

JCN 다큐멘터리

요즘아이 탐구생활에서 나는 '지구지킴이'로 소개되었다. 내가 가지고 있는 기후위기에 대한 생각과 앞으로 우리가 나아가야할 방향에 대해서 나의 목소리를 낼 수 있는 소중한 경험이 되었다.

쑥스러운 마음도 많이 들었었지만. 내 생각을 많은 사람들에게 전할 수 있는 좋은 기회가 되었다.

그리고 나는 2년째 기후위기대응단에서 활동중이다. 작은 관심으로 시작한 일이지만, 2023년도에는 팀별로 어떻게 기후위기대응에 대해서 사람들이 관심을 가질 수 있게 할까?에 대한 고민을 많이 했다.

그래서 영상을 제작해서 그것으로 홍보를 해보기로 했다. 나는 이전에 내가 직접 영상을 제작해 본 경험이 없어서 여름방학동안 기후위기대응 서포터즈에 지원해서 시청자미디어센터에서 교육을 받았다.

내가 생각한 주제를 영상으로 표현하는 것은 쉬운 일은 아니었다. 그렇지만 한 작품 한 작품 만들어 낼 때 마다 큰 보람을 느꼈다.

내가 만든 작품을 상영할 때는 많이 부끄럽기도 했지만 나 스스로 자랑스럽기도 했다.

2024년에는 다양한 사람들과 함께 기후위기대응단에서 활동했다. 각자 실천하는 내용들을 온라인상으로 공유하면서 서로 격려하면서 활동을 했는데, 나보다 어린 동생들도 열심히 하는 모습을 보면서 무척 자랑스러웠다.

이런 활동들을 꾸준히 해 나가면서 나는 내가 그리고 나의 이웃들이 어떻게 하면 행복하게 살아갈 수 있을지에 대한 고민을 더 많이 하게 되었다.

그래서 이런 고민을 나눌 수 있는 활동이 있으면 정말 적극적으로 참여했다. 2년 동안의 기후위기대응단활동을 통해서 내가 느낀 점과 활동들을 정리해서 간단한 저널로 만들어 보았다. 이 저널을 통해서 사람들이 조금 더 우리 청소년들의 생각에 귀를 기울여주고 우리에게 활동할 수 있는 힘을 주셨으면 하는 바램이 있다.

지구 온도를 1.5도 낮추기 위한
평범한 중학생의 평범하지 않은 이야기

남창중학교 2학년 11반 박주원

1	2	
3	4	5

1. 에너지효율혁신챌린지참가(2021)
2. 1000인의 원탁토론회 '감자튀김과 2060년' 발제(2022)
3. 요즘아이 탐구생활 '지구지킴이'(2023)
4. 울산청소년환경문화제 참가(2022)
5. 울산기후위기대응교육센터 개관식 홍보 영상 참여(2023)

들어가며

'내가 살고 있는 지구에서 어떻게 하면 우리 모두가 행복하게 살 수 있을까?'
초등학교 5학년이 되면서 부터 시작된 나의 고민이다.
아무것도 모르던 평범한 학생이 우리가 모르고 지나가는 일상에서 우리도 모르는 사이 우리의 지구를 힘들게 하고 있었다는 사실을 우연히 깨달았다.
이런 이야기를 보다 많은 사람들과 나누고 싶었다.
그래서 나는 내가 할 수 있는 다양한 활동들을 하나씩 하나씩 해 나가기로 결심했다.

첫 번째 이야기

우리 함께 해요.

교내 활동

'우리는 끄고 지구는 밝히고'

지구의 날 소등행사 캠페인

'지구의 날' 소등 행사를 우리 학교 친구들에게 조금 더 알리기 위해서 어떻게 하면 좋을까?에 대해서 고민을 하다가 용기를 내서 캠페인을 해 보기로 했다.
혼자 힘으로는 어려워서 '세상을 과학으로 바꾸는 아이들' 동아리 친구들의 힘을 빌렸다. 처음 준비해 보는 캠페인에 어려운 점도 많았지만 한 사람 한 사람의 마음이 모여서 우리가 직접 실천할 수 있는 좋은 계기가 되었다.

특히 '지구의 날'을 모르던 우리 학교 친구들이 불켜진 전등 그림에 검정색 스티커를 붙임녀서 함께 불을 끄는 모습을 나타내는 "우리는 끄고 지구는 밝히고" 캠페인 활동을 통해서 '지구의 날 소등 행사'에 참여하는 좋은 기회가 되었다.

쓰레기?!

쓰레기 처리 인식 조사 설문

' 우리 학교는 교직원을 포함해서 1000명이 넘는 사람들이 생활하는 곳이다. 그래서 늘 쓰레기 처리에 많은 어려움이 있다. 넘쳐나는 쓰레기를 처리하는 것에 대한 고민이 필요했다.

그래서 우리 학교 친구들이 분리수거에 대해서 어떻게 생각하는 지? 그리고 쓰레기 처리를 어떻게 하고 있는 지? 에 대해서 알아보는 활동을 했다.

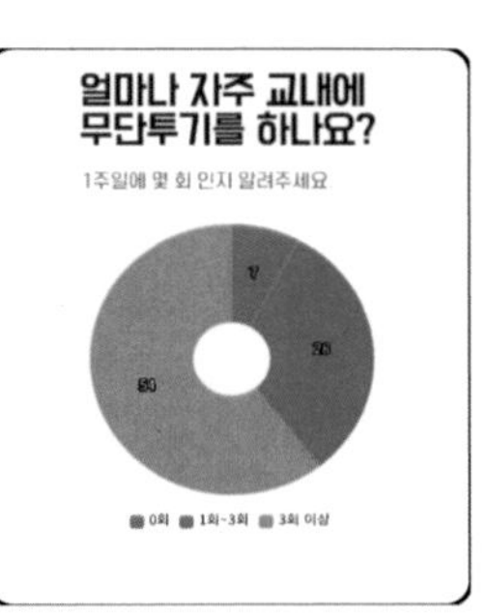

한 걸음의 시작

연구 활동

미세플라스틱
크기가 5mm 이하로 매우 작은 플라스틱 입자를 의미한다. 자연적으로 분배되지 않으며, 환경과 생태계에 해로운 영향을 미칠 수 있다.

리유저블컵
여러 번 반복해서 사용할 수 있는 친환경 컵을 의미하고 일반적으로 플라스틱을 이용해 만들어 일회용 컵 사용을 줄이는 데 큰 역할을 한다.

연구의 시작

한 커피프랜차이즈에서 환경을 생각하며 리유저블컵을 발매하면서 많은 사람들이 리유저블컵을 사기 시작했다. 그리고 그 제품은 품절이 될 만큼 인기가 높았다. 그런 모습을 보면서 갑자기 궁금해졌다.
'리유저블컵은 정말 친환경적일까? 얼마나 사용해야 안전하게 그리고 지구를 지키는 데 도움이 될까?'
이러한 궁금증을 해결하기 위해 친구들과 함께 연구를 시작했다.

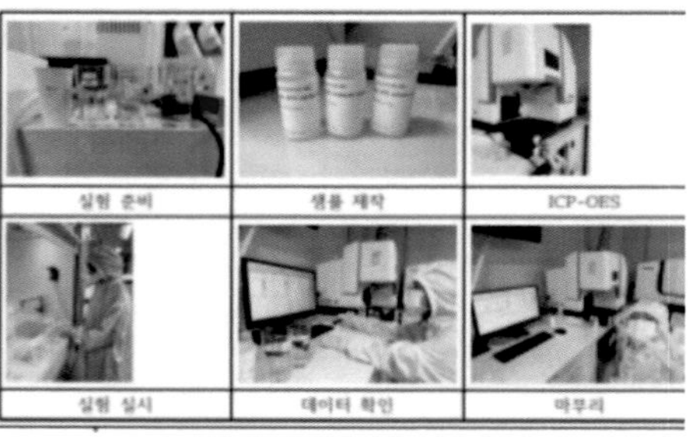

우리들의 발견

'리유저블컵을 어떻게 하면 안전하게 그리고 오래 사용할 수 있을까?'

우리가 실험을 하는 과정에서 해결하고 싶은 부분이었다. 그래서 다양한 온도에서 다양한 종류의 음료를 다양한 재질의 리유저블 컵에 담았다가 버렸다가 하는 과정을 거쳐서 의미있는 실험 결과를 발견하기 위해서 노력했다.

1) 실험 방법
(1) 동일한 크기와 재질의 리유저블 컵을 준비한다.
(2) 20℃, 40℃, 80℃ 생수를 300ML씩 준비한다.
(3) (2)의 생수를 넣고 *스테인레스빨대로 10번씩 저은* 후 5분 정도 방치한다.
(4) (2)~(3)의 과정을 10회, 20회, 30회, 40회 반복하여 실시 한다.
(5) 각 샘플을 채취하여 전처리를 한 후 현미경으로 미세플라스틱을 관찰한다.
(6) 실험결과를 정리하여 분석한다.
현미경 배율을 50*20으로 실시하였음.

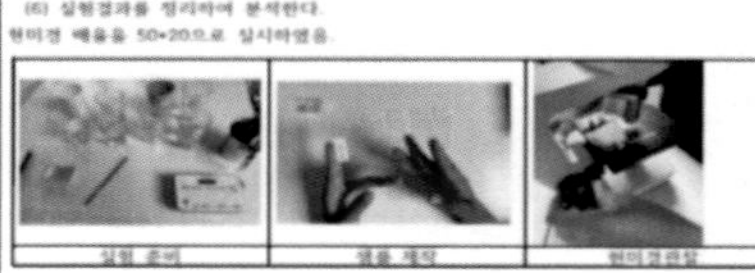

끝나지 않는 연구

리유저블컵에서 발생할 수 있는 미세플라스틱과 유해물질의 양을 측정하기로 결정하고 집에서 학교 과학실에서 실험을 했다. 부족한 실험은 아버지의 실험실을 빌려서 실험을 했다. 전문기관에 자문을 요청하기도 했다.
2달에 걸친 긴 실험 여정이었다.
실험 결과가 예상과 달라서 여러 번의 수정 끝에 우리가 원하는 방법을 찾았다.

2) USB 현미경 관찰 방법
(1) 리유저블 컵의 외부 표면에 구역 표시
(2) 생수를 담기전 컵 내부 표면 촬영하기
(3) 컵에 생수를 넣고 5분 두기
(4) USB 현미경으로 관찰 및 촬영하기

(1) 구역표시 | (3) 컵에 생수 담기 | (4) 현미경 관찰 | PC로 촬영

USB 현미경 배율은 1000배 임

한 걸음의 시작

연구 활동

지구를 지키는 리유저블컵 사용 매뉴얼

Q1. 몇 번 사용해야 하나요?

- 사용횟수가 늘어날수록 미세플라스틱 발생량이 증가하는 경향성이 나타났다. 특히 모든 재질에서 유해물질(As, Sb, Pb, Cd, Cr)이 없거나 극소량으로 나타났고 20회~40회 까지는 미세플라스틱이 발견되기는 하였으나 그 수가 적었다. 사용횟수를 100회까지 늘리니 PCT에서 가장 많이 검출되었고 PC에서 가장 적게 검출되었다.
그래서 생활 속 미세플라스틱 섭취를 줄이기 위해서...

20회이내 사용을 권장합니다.

ZERO WASTE

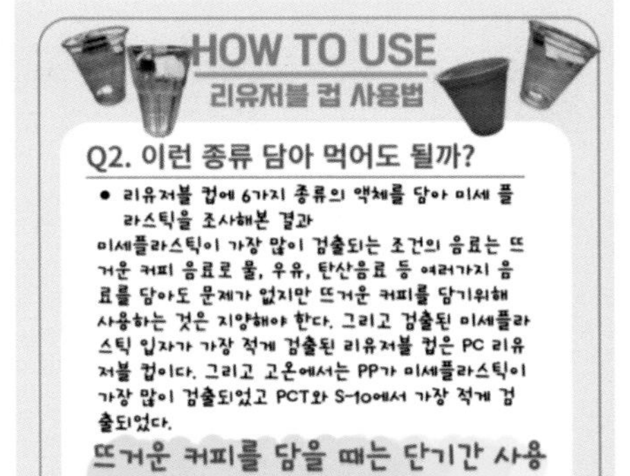

Q3. 담을 수 있는 최적의 온도는?

- 리유저블컵의 플라스틱재질에 따라 최적의 온도가 다르다. 그렇지만 고온(100도)에서는 컵의 조직변형과 미세플라스틱 검출이 증가하였다. 그래서 고온(100도)에서 사용하는 것은 지양해야한다.

PP	40도 80도	20도에서 가장 많은 미세플라스틱 검출
PCT	-	20도,40도,80도 전체적으로 미세플라스틱 검출
S-10	-	20도,40도,80도 전체적으로 미세플라스틱 검출
PC	40도 80도	20도에서 가장 많은 미세플라스틱 검출

세 번째 이야기

새로운 도전, 함께하는 기쁨

교외 활동

2024 기후행동 실천단

작년에 이어 올해도 기후행동실천단에 지원하였다. 오름마당에서 처음으로 우리 팀원들을 만났는데, 무척 설레었다. 나보다 동생들도 많았다. 작년과는 다르게 직접 만나기는 힘들다 보니 주제를 정하고 각자 활동을 한 후 SNS를 통해서 소통하는 것으로 하였다.

청소년과학대장정 참가

AI 연구센터 방문

2024년 1학기 내내 미세플라스틱과 리유저블컵 연구에 매달리다 보니 궁금한 것이 더 많아졌다. 그래서 여름방학에 청소년과학대장정에 참여할 학생들을 모집한다는 공고를 보고 도전해 보았다. 내가 하고 있는 과학적 활동들을 이야기 하고 미래에 내가 꿈꾸는 일에 대해서 설명하는 영상을 만들어서 높은 경쟁률을 뚫고 참여할 수 있는 기회를 얻게 되었다.

나는 AI 분야에 참여하게 되었는데, 나와 비슷한 고민을 하는 친구들이 많아서 무척 기뻤다. 새로운 친구들을 만나서 함께 의견을 나눈다는 것은 나에게 큰 의미 있는 일이었다.

특히 AI 센터의 연구원분께 내가 고민하고 있는 리유저블컵의 미세플라스틱을 사람들이 직접 검출할 수 있게 하는 과정을 AI를 활용할 수 있는 지에 대한 논의도 할 수 있는 기회가 되었다. 마지막 날 수료식을 하는데, 내가 대표로 뽑혀서 더 기분이 좋았다.

네 번째 이야기

작지만 큰 실천

실천 활동

가족과 함께하는 플로깅

한 달에 한 번 가족들과 함께 플로깅활동을 했다. 집주변을 걸으면서 쓰레기를 정리하거나 여행을 가거나 등산을 하면서 가족과 함께 하는 플로깅은 무척 즐거웠다.

중고 쇼핑

나는 옷을 참 좋아하는데, 중고로 옷을 살 수 있다는 생각을 해 보지 못했다. 특히 옷 값을 무게로 계산한다는 점에서 신기하기도 했다. 후드티셔츠와 치마 한 벌을 샀는데, 18,720원을 지불하였다. 내가 입지 않는 옷을 다른 사람들에게 필요한 물건이 될 수 있다는 것을 알게되었다.

용기내서 용기내!

용기에 음식을 담거나 물건을 사는 것은 무척 용기가 필요한 일이었다. 처음 시작은 용기에 세제를 담아서 파는 가게를 방문하는 것이었다. 어색했지만 이렇게 구입하는 것이 옳은 일이라고 생각하고 용기를 냈었다. 두번째 도전은 단골 샐러드 가게였다. 이런 포장은 처음 해 보신다고 이야기 하시면서도 이렇게 하니까 너무 좋다고 해주셨다. 마지막 도전은 시장이었다. 시장에는 아무래도 나이가 있으신 분들이 많으니까 이런 행동을 이해못하실까봐 걱정했는데, 다른 사람들도 이렇게 하면 좋겠다면서 칭찬해 주셔서 기분이 좋았다.

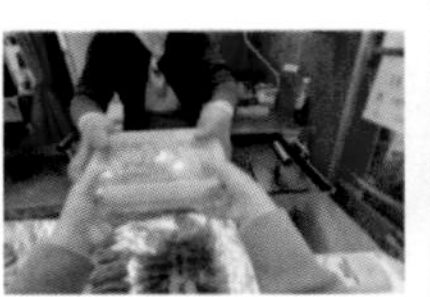

비건쿠키 만들기

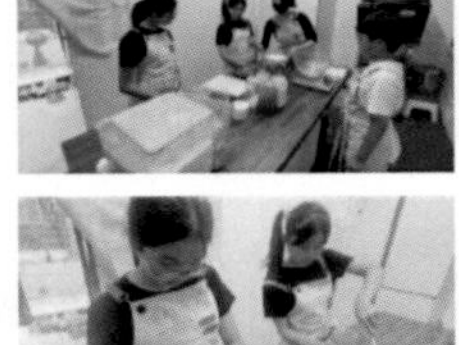

초콜렛을 너무 좋아하는 동생과 친구와 함께 비건쿠키클래스에 참여해 보았다. 우리가 흔히 먹는 쿠키에 들어가는 버터는 아주 많은 양의 우유로 만들어진다. 그러다 보니 당연히 탄소발자국이 많이 남을 수 밖에 없는 음식이다. 이런 문제를 해결해 보기 위해 비건 음식을 많은 사람들이 이용해 보면 좋겠다는 생각에서 비건쿠키 만들기를 해 보았다. 많이 만들어서 주변 사람들에게 나누어 주었는데, 일반 쿠키와 큰 차이를 못 느끼겠다고 이야기하였다.

우리가 비우면 지구가 채워집니다.

실천 제안

지금 당장 할 수 있는 지구온도 낮추기

다른 사람들과 함께 하는 캠페인 활동이 힘들다면
기후변화에 대응하는 연구를 하는 것이 어렵다면
대외적인 활동에 참여하기에 너무 바쁘다면
플로깅을 하러 나갈 시간이 없다면
'용기내'를 하기에 수줍음이 많다면
'비건음식'은 내 입에 맞지 않다면
중고 물품을 구입하는 것은 좀 불편하다면

지금 우리가 할 수 있는 일이 하나 있습니다.

바로 휴대폰, PC의 메일함 비우기!!!

환경부 자료에 따르면 전체 탄소발자국 총량 중 디지털탄소발자국은 2018년 3%에 불과했지만, 2040년이 되면 14%를 초과할 것으로 추정하고 있다.
디지털탄소발자국은 온라인상에 일어나는 모든 일에 발생한다. 우리 눈에 보이지 않기 때문에 왜 에너지가 소모 되는 지 의아했지만 이번 과학대장정에서 데이터센터들을 방문해 보니 우리가 하는 모든 디지털 활동을 하게 되면 많은 양의 데이터를 처리하기 위해서 서버에서 발생하는 열기를 식히기 위해 많은 에너지가 소모되고 있었다. 통계에 따르면 이메일을 한 통 전송할 때마다 4g, 전화통화 1분 당 3.6g, 단순 인터넷 검색 0.2g의 이산화탄소가 발생한다고 한다. 이렇게 데이터를 생성할 때도 탄소발자국이 발생하지만, 이렇게 만들어진 데이터를 저장해 두는 과정은 더 많은 탄소발자국이 발생하게 된다.

나가며

우리들의 작은 실천과 마음들이 모여서 오랫동안 지구에서 함께 살아갔으면 좋겠습니다. 특별한 사람들이 하는 실천이 아닌 평범한 중학생이 하는 여러 가지 노력들이 평범하지 않은 세상이 아니었으면 좋겠습니다.

‘미래학교’에 대한 주제로 포럼이 열렸는데, 그 활동에서도 내가 우리 팀 대표로 내가 꿈꾸는 미래학교의 비전에 대해서 발표하고 서로 의견을 교환하기도 하였다.

‘미래학교의 모습이 어떻게 바뀌었으면 좋을까?’라는 주제에 대한 내용이었는데, 개개인의 삶이 조금 더 행복해질 수 있는 환경이었으면 좋겠고 다양한 기술이 우리를 편하게 해 주기도 하지만 우리 스스로 생각할 수 있는 사람이 될 수 있는 환경이 되었으면 좋겠다는 생각을 이야기 해 보았다.

그리고 개개인의 삶도 중요하지만 인간은 함께 살아가야하기 때문에 어떻게 하면 서로에게 도움이 될 수 있을 지에 대한 고민을 학교에서 더 많이 배워 나가야 한다고 이야기 하였다.

□이런 활동을 하면 할 수록 나는 한 사람이 떠올랐다. 초등학교 5학년 때, 알게 된 사람인데, 나도 이 사람처럼 되고 싶다는 생각이 강해졌다.

그 사람은 '기탄잘리 라오'라는 여성과학자이다.

라오는 자기 마을 주변에서 납이 하천에 유출되면서 많은 사람들이 납중독의 위험을 겪게되었는데, 이 문제를 해결하기 위해서 다양한 아이디어를 고민하기 시작하는데, 결국 탄소튜브를 활용해서 간편하게 납검출을 할 수 있는 발명품을 만들었다. 그리고 그 발명품으로 지역주민들이 안전한 생활을 할 수 있도록 도왔다.

게다가 주변 사람들에 대한 관심을 놓치지 않고 여러 가지 발명품을 만들어서 세상에 도움이 되는 역할을 하고 있다.

나도 내가 좋아하는 과학을 통해 주변 사람들과 지구에 도움이 되는 삶을 사는 것이 나의 목표이다. 가끔 내가 열심히 과학 공부를 하고 학교 공부를 하는 모습을 보면서 나의 꿈을 궁금해 하는 사람들이 많다. 사실 나는 어떤 직업으로 나를 만들어가고 싶지는 않다. 단지 나는 내가 살아갈 내 삶이 나만을 위한 삶이 아니라 주변에 도움이 되는 삶을 살아가고 싶다.

그래서 내가 막연히 꿈꾸던 나의 모습을 '기탄잘리 라오'는 이미 이뤄내고 있는 것 같아서 나의 롤모델이다.

내가 기후위기대응 관련한 활동을 많이 하다보니 환경운동가인 '그레타 툰베리' 같은 사람이 되고 싶냐고 물어보는 사람들이 많은데, 나는 세상의 문제를 알리는 사람 보다는 그 문제를 해결하는 방법을 찾아가는 사람이 되고 싶다.

라오가 쓴 책이 한 권 있는데, 그 책을 보면서 내가 하고 싶은 방향에 대해서 꿈꾸게 되었다.

 라오가 주변을 더 살기 좋게 만들기 위해서 어떤 고민을 했는 지, 그리고 자신이 만난 문제를 어떻게 해결하기 위해 노력했는 지에 대한 이야기가 자세히 나와있었다.

제목만 보면 이기고 싶다라는 말을 하고 있어서 다소 불편한 마음이 들 수도 있다. 그렇지만 라오가 이기고자 하는 대상은 경쟁자가 아니라 자신이 만나는 문제들이 라는 사실을 알게되면 제목도 충분히 이해할 수 있다.

세상의 모든 문제에게 나도 이기고 싶다!

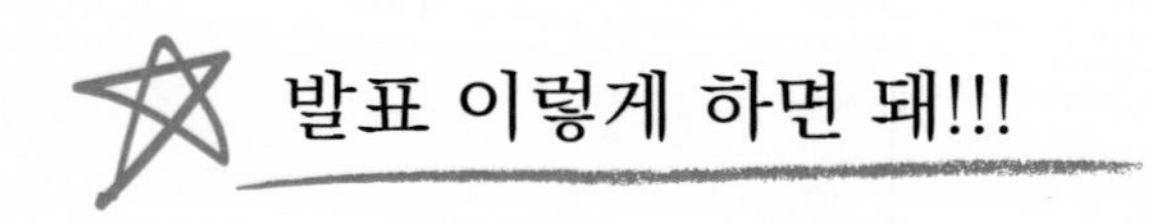

처음에 발표를 준비할 때는 부모님의 도움을 많이 받았다. 프리젠테이션을 만드는 것도 어려웠고, 복잡해 보였기 때문이다. 그렇지만 많은 발표를 준비하면서 나만의 노하우가 생겼다. 그리고 요즘에는 AI를 활용해서 프리젠테이션을 쉽게 준비할 수 있기 때문에 누구나 좋은 발표를 나만의 아이디어만 있으면 충분히 잘 해낼 수 있다.

내가 가장 최근에 한 발표는 내가 다니고 있는 울산남창중학교와 대만평시중학교간의 국제교류 프로그램에서 학교 대표로 대만에 가서 우리 학교 소개를 한 것이었다. 처음에는 영어로 프리젠테이션을 준비했는데, 아무래도 우리 나라의 문화를 소개하는 내용이 많다보니 한국어로 준비하는 것이 좋다는 의견이 많아서 그렇게 준비하게 되었다.

이제 내가 발표를 직접 준비하는 노하우를 공유해 보려고 한다. 멋진 발표를 꿈꾸는 친구들은 한 번 따라해 보면 쉽게 할 수 있을 것 같다.

① 누구한테 이야기 할까?

제일 먼저 누가 내 이야기를 들을 것인 지가 가장 중요해!

그리고 그 사람들의 특징을 떠올려야 해!

대상: 대만 학교 친구들, 대만 선생님

1. 한국어를 모른다.
2. 우리 학교와 오래 교류를 하고 있어서 한국에 대한 호기심이 많다
3. 우리 학교를 방문한 적이 있는 사람이 일부 있다.
4. K-pop과 K 문화에 관심이 많은 친구들이 많다.

② 내가 하고 싶은 이야기는 무엇일까?

내가 잘하는 이야기, 내가 아는 이야기가 아니라, 내가 정말 하고 싶은 이야기를 생각해야해!

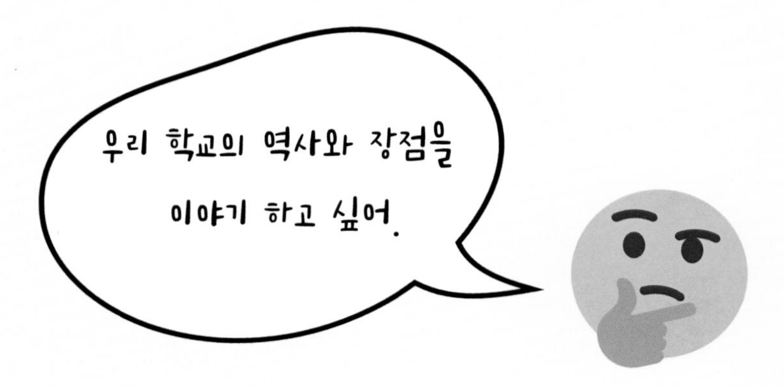

③ 내가 하고 싶은 이야기를 ppt로 정리해 보자!

나는 하고 싶은 이야기를 만들어서 ppt로 정리하는 방식 보다는 ppt로 내가 하고 싶은 이야기와 이미지들을 먼저 찾아서 정리하는 방법을 선호해! 이렇게 하다 보면 내가 하고 싶은 이야기가 잘 정리되기도 하고 내가 전하고 싶은 메세지를 좀 더 정확하게 할 수 있어.

물론 ppt는 캔바나 미리캔버스 같은 디자인플랫폼을 이용하는 편이야.

처음에는 복잡하지 않게 주제만 정리하는 게 팁이야!

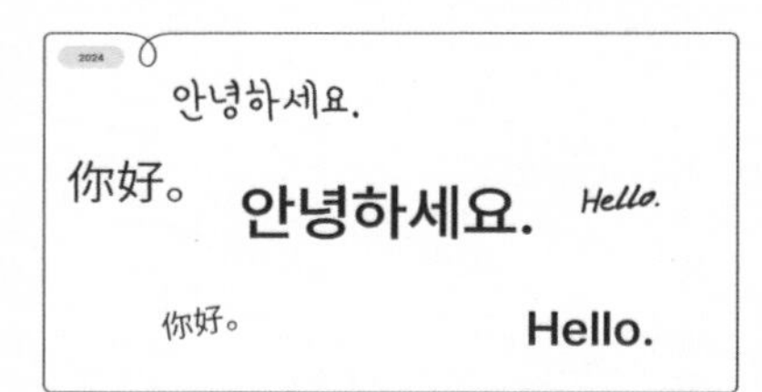

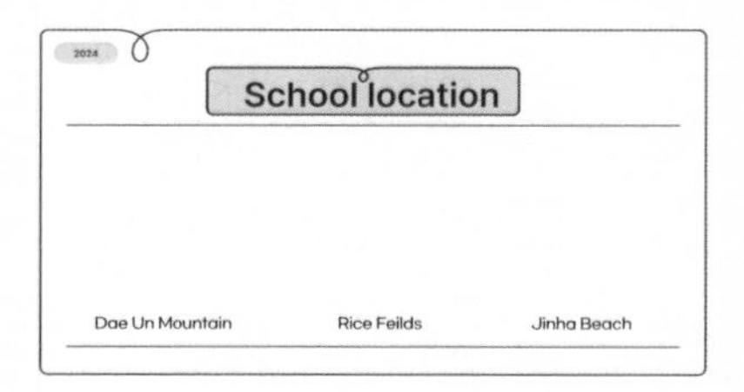

2024
School Members
Teachers
Students
Staffs

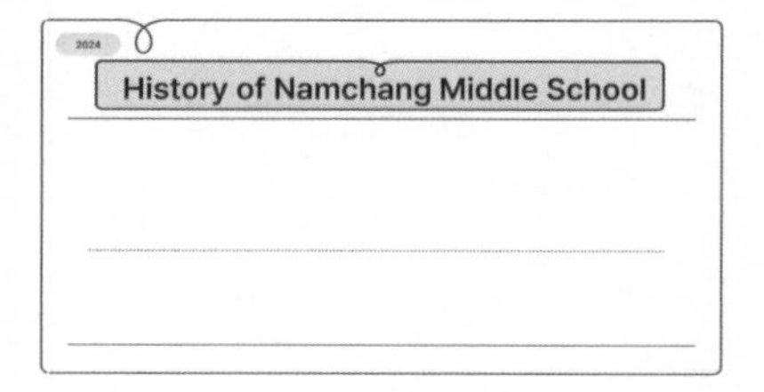

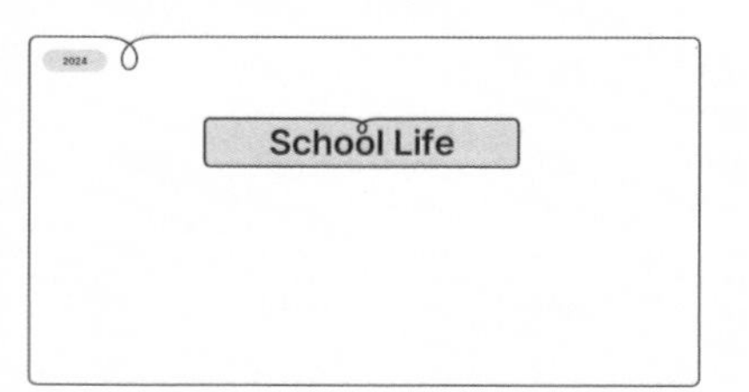

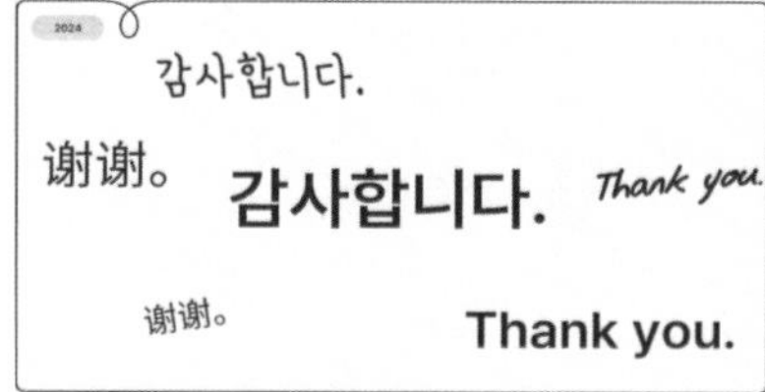

④ 이제 정확한 자료를 찾아보자!

공식적인 말하기에서 가장 중요한 것은 자료의 정확성이야! 내가 추측한 내용을 많은 사람들에게 전달한다면 곤란하겠지? 그래서 우리는 발표하기 전에 정확한 자료를 찾아봐야해! 우리 학교 소개를 하는 내용은 일단 학교 홈페이지가 가장 정확하니까, 학교 홈페이지를 찾아보고 그 내용을 잘 아는 사람 이 내용에서는 선생님이시겠지? 선생님께 확인을 한 번 받아보는 것도 필요해! 그리고 이와이면 어디에서 자료를 가져왔는 지 출처가 있으면 더 좋겠지?

참고로 블로그나 인터넷에 떠도는 글은 신뢰할 만한 정보가 아닐 수 도 있다는 것을 잊으면 안돼!

⑤ 발표 원고를 써 볼까?

이제 나의 언어로 발표 원고를 써 보는 거야!

이때 중요한 건 직접 소리내어 읽으면서 원고를 쓰고 고치는 거야. 발표는 결국 나의 생각을 말로 표현하는 거야. 글이 아니라는 거지, 그래서 내가 할 수 있는 말로 원고를 써야 해.

나는 가끔 이 단계에서 내가 발음 하기 어려운 단어는 좀 더 발음하기 쉬운 말로 바꾸기도 해!

⑥ □PPT를 완성하자!

ppt를 처음 만드는 친구들의 실수는 바로!
너무 많은 내용을 넣으려고 한다는 것이다. 내가 발표를 하지 않고 ppt자료 로만 전달해야하는 내용은 당연히 내용이 많은 수 밖에 없다. 그렇지만 내가 이야기 하는 발표는 내가 말하는 것이 주가 되어야 한다. 그렇다면 너무 현란한 애니메이션이나 복잡한 이미지는 전혀 도움이 되지 않는다.
 나도 처음에는 내가 아는 방법과 기술을 동원해서 복잡하고 멋있게 만드는 데 집중했다. 그렇지만 발표를 해 보면 해 볼수록 결국 중요한 것은 그런 것이 아니다.
꼭 기억해야 한다!

Simple is best!

2024
안녕하세요.
你好。 안녕하세요. Hello.
你好。 Hello.

⑦ 가장 중요한 연습!

내가 만든 발표자료랑 원고인데, 안외워도 되지 않아?

처음에는 나도 그런 줄 알았어.

그런데 말야! 연습을 꼭 해야한다는 건 정말 사실이었어.

사실 발표하는 곳은 어떤 일이 벌어질 지 모르거든. 내가 녹화 방송, 생방송, 그리고 라이브로 진행하는 곳, 다른 나라 사람들 앞에서 하는 발표 등등 정말 다양한 경험을 많이 했거든.

그런데 항상 내가 준비한 대로만 되지는 않는 다는 거지.

내가 준비한 ppt가 잘 작동되지 않을 때도 있고 리허설을 하고 또 해도 슬라이드가 잘 안넘어갈 때도 있어.그때마다 당황할 수 는 없잖아.

결국 연습이야!

자연스럽게 말하기의 기본은 연습이라는 거지.

연습을 하면 발표 실력이 좀 부족한 친구들도 발표가 힘들었던 친구들도 모두다 할 수 있어.

2~3분의 발표를 위해 내가 쏟는 시간은 거의 30시간이 넘어 틈틈이 원고를 읽고 또 읽고 실전 처럼 연습을 하고 또 하는 거지! 그러면 나처럼 평범한 사람들도 잘 할 수 있어.

⑧ 이제는 실전!

내가 만든 발표자료랑 원고인데, 안외워도 되지 않아?

처음에는 나도 그런 줄 알았어.

그런데 말야! 연습을 꼭 해야한다는 건 정말 사실이었어.

사실 발표하는 곳은 어떤 일이 벌어질 지 모르거든. 내가 녹화 방송, 생방송, 그리고 라이브로 진행하는 곳, 다른 나라 사람들 앞에서 하는 발표 등등 정말 다양한 경험을 많이 했거든.

그런데 항상 내가 준비한 대로만 되지는 않는 다는 거지.

내가 준비한 ppt가 잘 작동되지 않을 때도 있고 리허설을 하고 또 해도 슬라이드가 잘 안넘어갈 때도 있어.그때마다 당황할 수 는 없잖아.

결국 연습이야!

자연스럽게 말하기의 기본은 연습이라는 거지.

연습을 하면 발표 실력이 좀 부족한 친구들도 발표가 힘들었던 친구들도 모두다 할 수 있어.

2~3분의 발표를 위해 내가 쏟는 시간은 거의 30시간이 넘어 틈틈이 원고를 읽고 또 읽고 실전 처럼 연습을 하고 또 하는 거지! 그러면 나처럼 평범한 사람들도 잘 할 수 있어.

네번째 이야기

세상을 과학으로 바꾸는 아이

처음부터 내가 과학을 사랑했던 것은 아니다. 그렇지만 내가 고민하는 많은 문제들을 과학으로 해결할 수 있다는 생각이 들었다.

내가 사랑하는 그림그리기, 그리고 나의 부족함을 채워보려고 시작했던 여러가지 활동들을 통해서 나는 내가 만나는 문제를 해결해 보고 싶었다. 그리고 그 해결방법으로 과학을 만나게 되었다.

그 어떤 공부를 할 때보다 과학공부를 하면 신났다. 지금도 물리공부를 하고 있는데, 정말 어렵다. 어렵다 못해서 이해가 가지 않는 것도 정말 많다. 인터넷 강의로 부족한 부분은 책으로 그래도 부족한 부분은 선생님들께 도움을 받아서 해결해 나가고 있다.

핑계일 수도 있지만, 우리 집은 시골 마을이다. 부모님께서 나와 동생의 학업을 위해서 이사도 제안하셨지만, 나와 동생이 반대했다. 내가 사랑하는 우리 루이스가 살기 좋은 곳이기도 하고, 내가 태어난 곳에서 내가 성장해 나가는 것이 정말 의미 있지 않을까? 하는 생각때문이다. 그리고 사계절을 온전히 느끼고 나의 추억이 가득 담긴 이곳을 지금은 떠나고 싶지 않다.

사실 그래서 내가 겪는 불편함은 아주 많다. 학교도 멀어서 대중교통으로는 통학이 힘들어 항상 부모님께서 데려가 주셔야 한다. 가끔 감기에 걸려서 힘들어 하는 엄마가 나를 등교시켜주시려고 일어나시는 모습을 보면 마음이 아플 때도 있다.

그리고 내가 좋아하는 수업을 듣거나 활동을 하기에도 어려움이 많다. 거의 하루를 다 비워야지 내가 원하는 활동을 할 수 있다.

그렇지만 그래서 나는 내가 하는 활동 하나 하나가 아주 소중하고 간절하다. 중학교 1학년 때 1년동안 했던 과학영재수업도 그랬다. 집이 멀어서 사이버교육을 선택했는데, 내가 스스로 공부해 나가는 과정이 힘들었지만, 나에게 큰 의미를 주었다.

특히 주어지는 과제를 스스로 해 나가면서 내가 조금씩 성장하는 것을 느낄 수 있었다. 사실 처음에는 과제를 해나가는 내용이 썩 훌륭하지는 않았다. 하지만 과제 마다 온라인 튜터 선생님의 피드백을 받으면서 조금씩 수정해 나갔다. 많은 과학 주제들에 대해서 고민하면서 더 많은 흥미를 느끼게 되었다.

주차	1	주제	나만의 공부방법을 알고 계획을 세워보자!

● 미션2

나만의 학습계획 세우기: 나의 공부방법의 장점과 단점, 그리고 KAIST 사이버영재교육원 교육 일정을 고려하여, 매 차시 어떻게 공부할지 계획을 세워봅시다(자유롭게 작성하세요).

온라인 강의를 들으면서 공부를 하는 것 보다 나 스스로 공부할 내용을 찾아서 공부하는 데 익숙하기 때문에 스스로 생각할 시간을 가지고 과제를 수행하는 방식이 훨씬 공부하는 데 좋다. 그렇지만 전체적으로 공부할 시간이 부족한 상황에서 시간 계획을 잘 해서 이번 교육에 참가해야 할 것 같다.

1) 1~2차시(4월 24일~5월 7일)
   - 학교와 학원일정을 제외하면 4월 27일, 5월 5일, 5월 7일이 가능
   - 4월 27일: 개념학습 및 과제 활동 파악
   - 5월 5일: '전염병을 이겨내는 면역체계' 학습 및 자료 수집
   - 5월 7일: 과제 정리 및 제출

2) 3차시(5월 8일~5월 21일)
   - 학교와 학원일정을 제외하면 5월 11일, 5월 14일, 5월 21일이 가능
   - 5월 11일: 개념학습 및 과제 활동 파악
   - 5월 14일: '전기자동차의 현재와 미래' 학습 및 자료 수집
   - 5월 21일: 과제 정리 및 제출

3) 4차시(5월 22일~6월 4일)
   - 학교와 학원일정을 제외하면 5월 28일, 5월 29일, 6월 4일이 가능
   - 5월 28일: 개념학습 및 과제 활동 파악
   - 5월 29일: '스포츠의 신은 신기술이 만든다.' 학습 및 자료 수집
   - 6월 4일: 과제 정리 및 제출

수업에 관한 고민이나 아이디어는 페들렛에 조금씩 기록하여 수시로 내용을 정리할 수 있도록 한다.
클라썸을 활용해 어려운 내용은 질문하면서 새로운 개념에 대해서 공부한다.

● 미션1

나의 공부방법: 지금까지 나는 어떠한 방법으로 공부해왔는지 생각해보고, 나의 공부방법의 장점과 단점을 적어주세요.

나의 학습 방법:
매일 꾸준하게 해야하는 것과 시기별로 해야하는 것을 구분하여 일주일 단위로 학습계획을 세우고 매일 스스로 점검하는 방식으로 공부를 해왔다.
과목별로는 수학은 연산과 개념 응용으로 나누어서 공부를 했다. 연산은 매일 조금씩 문제를 풀었고, 개념은 교과서와 문제집을 2~3권정도 선택해서 개념노트에 정리하는 방식으로 공부하고 응용은 중간 난이도 정도의 문제집을 풀면서 틀린 문제를 위주로 다른 문제집에서 보충하는 방식으로 공부했다.

과학은 다양한 분야에 관심을 가지고 있고 궁금한 점이 많아서 주로 과학관련 책을 읽으면서 공부하고 있다. 중학교에 들어와서는 책으로만 읽는 것이 아니라 개념에 대해서 정리하면서 공부하고 있다.

영어의 경우 가장 어려워하는 과목인데, 매일 조금씩 단어를 외우고, 다양한 독해 지문을 읽으면서 공부하고 있다. 독해 지문을 읽을 때는 내가 좋아하는 과학이나 수학과 관련한 내용을 찾아서 재미있게 공부하려고 노력하고 있다.

장점	단점
1) 매일 스스로 해야하는 양이 정해져 있어 내 공부양을 관리하기 편하다. 2) 장기적인 계획도 함께 세우고 공부하고 있기 때문에 불안해 하지 않고 공부할 수 있다. 3) 실생활과 개념이 연결될 수 있게 공부하고 있어서 내용 이해가 잘 된다. 4) 한 번 정리하고 공부한 내용을 잘 잊어버리지 않을 수 있다.	1) 생각보다 학습을 하는 데 시간이 오래 걸린다. 2) 학교 진도보다 조금 앞서나가야 학교 공부에 집중할 수 있다. 3) 나의 실력을 스스로 점검해야하는 점이 어렵다.

주차	2	주제	전염병을 이겨내는 면역체계

지금까지 배웠듯이 일반적으로 우리 몸의 면역 체계가 제대로 작동할 때 대부분의 병원체에 감염되지 않습니다. 하지만 우리 몸이 항상 완벽하지 않기 때문에 누군가는 병원체에 감염되어 질병에 걸립니다. 우리가 의사가 되었다고 가정하고 환자가 사회 전체로 확산되지 않기 위해 어떤 노력을 해야 할지 생각해 봅시다.

미션1

예방 주사(백신)를 맞으러 병원에 가면 주사를 맞기 전에 꼭 체온을 재고 의사 선생님과 상담을 합니다. 그 이유는 무엇일까요?

예방 주사를 맞는 것은 능동면역의 방법으로 면역을 얻는 것인데, 몸의 면역체계가 인공적으로 투여된 약한 균과 직접 싸워서 면역력을 획득하게 됩니다. 그런데 우리 몸이 균과 싸워서 이길 상태가 되어 있지 않다면 능동면역이 생기는 것이 아니라 바이러스에 감염 되게 되기 때문에 백신을 맞기 전의 건강상태가 중요하다고 할 수 있습니다.

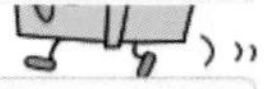

미션2

예방 주사(백신)를 맞은 뒤 간호사 선생님이 '하루 이틀 정도는 격렬한 운동과 목욕을 하지 말라'고 하십니다. 그 이유는 무엇일까요?

미션 1처럼 우리 몸은 백신을 접종한 후 능동면역 상태이기때문에 인공적으로 투여된 약한 균과 직접 싸워서 면역력을 획득해야 합니다. 결국 약한 정도로 감염된 상태를 의미합니다. 따라서 격렬한 운동과 목욕으로 인해서 감염 정도가 심해지지 않게 하기 위해서는 충분한 휴식과 안정이 중요하다고 할 수 있습니다.

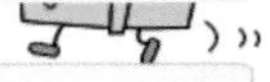

미션3

다른 예방 주사와 달리 독감 예방 주사는 맞더라도 독감에 걸릴 가능성이 낮아질 뿐이지 완전한 면역이 되지 않습니다. 그 이유를 코로나 바이러스와 관련해 찾아봅시다.

독감바이러스의 경우 매해 다른 형태의 변이로 바뀝니다. 그래서 매해 독감 예방 주사를 접종해야 합니다. 특히 이번 코로나 바이러스 역시 처음의 바이러스에서 오미크론 변이 등 다양한 변이가 나와 백신을 만드는 데 어려움을 겪었습니다.

● 미션4

바이러스가 변이를 얻는 과정에 대해 조사해보고, 우리 주변에서 쉽게 찾아볼 수 있는 사례를 바탕으로 설명해 봅시다.

바이러스는 스스로 복제하는 과정에서 변이를 일으키게 되는데, 그 복제의 과정에서 변이가 발생하게 됩니다..

매년 독감예방접종을 맞으러 병원에 가는 데, 의사선생님께서 이번 독감은 콧물이 좀 더 많이 날 것이다, 장염과 비슷한 증세가 있을 것이다. 등을 설명해 주시면서 예방접종을 할 때, 말씀해 주십니다. 즉, 매년 발생하는 독감바이러스라는 줄기는 같지만 그 바이러스들이 가진 성질들이 조금씩 달라진다는 것을 의미합니다. 바이러스는 한 가지 형태로 계속해서 존재하는 것이 아니라 스스로 살아남기 위해서 가장 적합한 형태로 변이하게 되기 때문입니다.

● 미션5

공기 중으로 전염 가능성이 있는 전염병 환자들은 병원 격리 병실에서 따로 치료를 받습니다. 일반 병실과 격리 병실에 어떤 차이점을 두어야 할지 생각해 봅시다.

공기 중으로 전염 가능성이 있는 질병의 경우 병원 격리 병실에서 따로 치료를 받게 되는 데 그 이유는 다른 환자들에게 전염의 우려가 있어서 입니다.
그래서 이러한 격리 병실의 내부 공기가 외부로 나가서는 안될 것입니다. 그렇다면 어떻게 내부 공기를 외부로 나가지 않게 하면서 내부에 있는 환자의 건강을 생각해서 공기를 순환시킬 수 있을지가 궁금해서 관련 자료를 찾아보았습니다.

공기를 매개로 전파되는 감염병을 보유한 환자를 격리하여 치료하기 위한 특수 병실인 격리 병실을 이용해야 하는 데, 결핵•수두•홍역•중동호흡기증후군•신종감염병증후군 등의 고위험 감염병이 그 대상이다. 음압(陰壓, negative pressure), 즉 병실의 공기압을 낮춰서 외부 공기는 내부로 유입되지만, 내부 공기는 외부로 배출되지 않도록 하여 공기에 떠다니는 감염원의 전파를 차단하며, 공기의 흐름이 고기압에서 저기압으로 향하는 것을 이용한 것이다.

음압 병상, 음압 병상과 외부를 연결하는 공간인 전실(前室), 비음압구역(음압병상< 전실< 비음압구역) 순으로 낮은 압력을 유지하며, 각 단계에서의 압력 차는 -2.5 파스칼(pa)(-0.255 mmAq) 이상을 유지하여야 한다. 감염의 위험도를 낮추기 위해 압력 차를 두는 것과 더불어 헤파 필터(HEPA filter)를 설치한 급•배기 시설을 이용해 시간당 최소 6번 환기하도록 규정되어 있으며, 병실에서 사용한 물은 소독하거나 멸균한 후에 방류하여야 한다.
[네이버 지식백과] 음압격리병실 [Negative pressure isolation room] (두산백과 두피디아, 두산백과)

피드백
반가워요 주원 학생! 학습한 내용을 바탕으로 답안을 잘 작성해주었습니다:) 미션2에서 "백신 접종 후 일시적으로 열이 날 수 있는데, 이 기간에 체온조절에 영향을 줄 수 있는 운동과 목욕은 자제해야 한다."와 같이 충분한 휴식을 해야하는 이유를 자세하게 작성해주면 더 좋을 것 같아요~ 미션3은 변이가 일어날 경우 이전에 맞았던 예방주사가 효과가 없는 이유에 대해 덧붙여 설명한다면 더 좋을 것 같습니다! 미션5에서 주원 학생의 아이디어로 만든 격리 병실이 실현된다면, 일반 환자들과 격리해 치료하기에 적합할 것 같아요 ㅎㅎ 여기서 검색을 통해 격리 병실 내 공기 순환 방식에 대해 찾아보았는데, 이 내용을 그대로 옮기기 보다는 주원 학생의 말로 바꿔 이해한 내용을 작성해주면 더 좋았겠네요! 과제하느라 수고했어요~ 학습활동 점수는 90점입니다!

알게된 점
선생님의 피드백을 보고 문제를 해결하는 방안을 제시할 때 검색을 통해 자료만 옮기는 것이 아니라 검색한 내용을 나의 언어로 바꾸어 작성하면 좋다는 것을 알게 되었다. 그동안 자료를 제출할 때, 인용만 하고 끝내는 경우가 많았는데, 그 자료를 해석하는 역량을 길러야겠다는 생각을 하게 되었다.

주차	3	주제	전기자동차의 현재와 미래

미션명 2035년 우리가 타게 될 자동차를 상상해보자!

여러분은 타임머신을 타고 전기 자동차 기술이 발전한 2035년으로 여행을 왔습니다. 2035년은 전기 자동차 전성시대라고 할 만큼 많은 전기 자동차들이 도로를 부지런히 누비고 있습니다. 미래에도 대한민국의 A자동차 회사는 여전히 새로운 전기 자동차를 개발하고 출시하는 중입니다. 2035년에 출시된 새로운 전기 자동차는 어떠한 자동차일지 상상하며, 다음 물음에 답해봅시다.

● 미션1

현재 시중의 전기 자동차가 가진 문제점들을 생각해보고, 세 가지 이상 작성해 봅시다.

첫째, 1 회 충전주행거리가 충분하지 않습니다. 현재 완충의 경우 500km 정도라고 합니다. 그렇지만 시내 주행이 아닌 고속도로주행 기준이므로 실제로 우리가 자주 사용하는 도로에서는 그 효율이 더 적은 편입니다.

둘째, 배터리의 성능문제가 있습니다. 전기차의 배터리는 리튬 이온 전지가 장착되는데, 이 배터리의 성능은 5~10 년입니다. 그렇지만 실생활에서 방전이나 충전을 반복하다보면 그 성능이 급격히 떨어집니다. 전기차 운행의 핵심인 배터리의 성능이 지금보다 훨씬 안정적여야 합니다.

셋째, 가격이 비쌉니다. 현재 내연기관 자동차에 비해서 가격도 비싸고 유지하기 위한 자동차 보험료 등도 비쌉니다. 그래서 내연기관 자동차와 전기자동차 사이에서 구매를 고민하는 사람들이 많습니다.

2035 년에 전기자동차는 지금과 많이 다른 모습일 것입니다. 특히 EU 에서는 내연기관 자동차를 퇴출하기로 하면서 더 많은 다양한 종류의 전기자동차들이 출시되어 우리가 이용하고 있을 것입니다.

두번째로 차량내 냉방 난방 열선 등 편리한 기능들을 위한 옵션들을 제작할 때 열손실을 줄이기 위해 다양한 소재들을 개발하여 활용할 것 이다. 전기자동차의 효율을 높이기 위한 방법 중 가장 중요한 것이 열손실을 막는 것이라고 볼 수 있는데, 다양한 소재의 개발을 통해 이를 활용하면 전기자동차가 더 많이 활성화 될 수 있을 것입니다.

미션3-1

2035년에 A자동차 회사에서 출시한 최신형 자동차를 상상한 뒤, 모식도를 간단하게 그려 봅시다. 또, 모식도의 각 부분에 간략하게 설명해 봅시다.

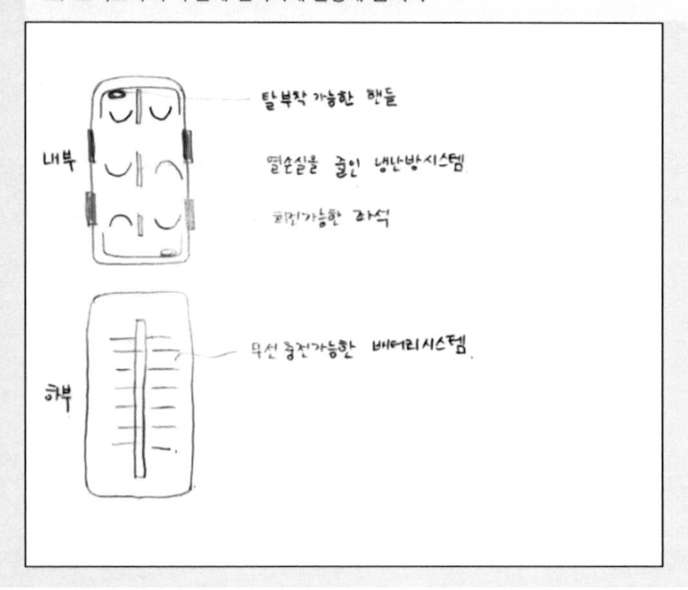

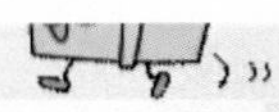

미션3-2

현재의 전기 자동차와 비교하여 2035년의 전기 자동차는 어떠한 점이 개선되었는지 세 가지 이상 설명해 봅시다.

2035 년의 전기자동차는 지금과 많이 달라져 있을 것입니다.

첫째, 무선충전이 가능해 질 것입니다. 무선충전이 가능해지면 지금처럼 전기차 충전에 대한 고민이 줄어들어 전기차를 보다 더 쉽게 잘 활용할 수 있습니다.

둘째, 열손실을 최소한으로 줄여 친환경적인 운행이 가능해 질 것입니다. 지금 판매되고 있는 많은 내연기관 자동차들에는 편의시설이 잘 되어 있습니다. 그렇지만 전기차의 편의시설 옵션(열선, 냉난방 등등)은 배터리의 성능이 향상되지 않고 열손실을 줄이는 기술이 발달하지 않는다면 잘 사용할 수 없을 것입니다.

셋째, 자율주행이 가능한 시스템이 장착되어 있을 것입니다. 자율주행이 가능하다면 자동차의 앞 뒤 구분이나, 백미러 등이 필요없이 다양한 센서와 카메라로 그 기능을 대신할 수 있을 것 입니다.

● 미션3-3

여러분이 상상한 자동차가 실제로 만들어지려면어떤 기술의 발전이 필요한지 세 가지 이상 작성해 봅시다

2035 년의 전기자동차는 지금과 많이 달라져 있을 것입니다.

첫째, 무선충전이 가능해 지려면 지금 휴대폰을 무선충전 하는 전자기 유도기술이 더 발달되어야 할 것입니다.

둘째, 열손실을 줄이기 위해서는 열손실을 줄이는 시스템 개발 못지않게 소재개발이 필요합니다. 자가발열이 가능한 코일등을 이용해서 열선을 만든다거나 자동차의 표면을 차지하는 유리 등을 특별히 가공하여 사용하는 기술이 발달되어야 할 것입니다.

셋째, 현재 자율주행기술이 잘 활용될 수 있도록 현재 자동차 내부 구조를 개선하는 방향과 편의성에 대한 연구를 해야 합니다. 예를 들어 자동차의 앞뒤의 구분을 없애서 핸들을 탈부착 한다던가, 좌석배치를 자유롭게 할 수 있는 좌석을 만들기 위해 인간이 활용하는 데 가장 편리하고 안전한 방식이 무엇인지에 대한 연구가 꼭 필요합니다.

피드백
학습한 내용을 바탕으로 과제의 답안을 잘 작성해주었습니다:) 미션2에서 언급한대로 충전하면서 주행이 가능하다면, 연료에 대한 걱정없이 운행할 수 있다는 점에서 엄청난 장점이 있을 것 같아요~ 미션3에서도 미래에 열 손실 및 배터리 문제가 해결될 때, 따라올 수 있는 이점들을 잘 설명해주었어요! 실제로 미래에 이런 기능들이 실현될 수 있으면 좋겠네요:) 과제하느라 수고했어요~ 학습활동 점수는 95점입니다!

주차	4	주제	스포츠의 신은 기술이 만든다.

● 미션1

양식에 맞게 작성해 봅시다.

현재 사용되는 스포츠 기술	- 현재 사용되고 있는 스포츠 기술을 찾아서 어떤 기술이 사용되는지 구체적으로 이야기해 봅시다. - 찾은 스포츠 기술의 과학적 원리를 설명해 봅시다. - 설명한 과학적 원리가 적용되는 또 다른 예시로는 무엇이 있을지 생각해 봅시다. 테니스 경기에서 가장 중요한 것은 라켓이라고 할 수 있다. 실제로 내가 테니스 연습을 할 때에도 라켓에 따라 공의 서브가 잘 들어가기도 하고 그렇지 못할 때도 있다. 라켓이 가벼우면 움직임이 훨씬 편하고 공을 칠 때의 타격감도 좋다. 테니스에서 점수를 내려면 상대방이 받지 못하도록 공을 빠르고 정확하게 타격해야 한다. 테니스라켓은 둥글고 크기 때문에 가장 큰 힘을 줄 수 있는 지점이 정해져 있는데, 이 지점은 스위트 스팟인데, 라켓이 공과 충돌했을 때 나타나는 진동이 상쇄되어 진동이 가장 작게 나타나는 지점이다. 테니스라켓의 경우 스위트스팟은 라켓프레임이 크고 무겁고 단단할 수록 넓어진다. 그렇지만 라켓이 무거우면 시합하는 데 무리가 있고 크기가 81.28cm 이내, 전체 폭 31.75cm 이내라는 제한이 있다. 허용범위 내에서 최대한 크면서 무겁지 않게 하기 위해서 가벼우면서 단단한 재료가 필요하다. 그래서 처음에는 알루미늄을 사용하다 지금은 다이아몬드처럼 단단하고 가벼운 탄소섬유소재로 제작하고 있다. 이러한 탄소섬유소재는 우리 생활에서 항공우주 자동차 다른 도구를 이용하는 스포츠 분야에서도 사용하여 무게를 줄이고 강도를 높여 효율적으로 활용한다.

- 해당 스포츠 기술의 찬반 여부를 이야기해 봅시다
- 본인의 생각에 대한 구체적인 이유를 함께 밝혀 주세요
- (찬성하는 경우) 반대 입장에 대한 의견을 한 가지 생각한 뒤, 그에 대한 반박 의견을 들어 보세요
- (반대하는 경우) 찬성 입장에 대한 의견을 한 가지 생각한 뒤, 그에 대한 반박 의견을 들어 보세요

테니스 경기를 할 때 스위트스팟을 잘 맞출 수 있고 선수에게 도움이 되는 라켓을 만드는 것에 찬성한다. 왜냐하면 해당 경기를 하는 선수들의 경기력에도 도움이 되기 때문이다. 테니스만 해도 좋은 라켓만 있다고 해서 선수들이 좋은 성과를 내는 것은 아니다. 경기력을 높이기 위한 훈련과 노력을 해야만 좋은 성과를 낼 수 있다. 그래서 경기력 향상을 위해 자신에게 맞는 다양한 라켓을 선택해서 경기에 참여하는 것은 보다 발전하기 위한 좋은 방법이라고 생각한다.

반대하는 입장의 경우 공정성에 대해서 이야기 할 수 있을 것이다. 스포츠 경기는 개인의 노력에 의해 승부가 결정이 나야 하는 데, 기술 경쟁이 되면 본질을 잃을 수도 있다고 생각할 수 있다. 그래서 스포츠 경기에서 규정이 필요한 것이다. 우리나라 KBO 에서 안타율을 높일 수 있는 알루미늄배트 대신 철저하게 규정에 맞는 배트를 사용하게 하는 것, 테니스 경기에서 테니스 라켓의 규정을 정하는 것 등을 이미 시행하고 있다. 특히 수영의 경우 전신수영복이 인간 개인의 노력보다 더 많은 변수를 가져온 것으로 판단해 금지한 것처럼 공정성을 지키는 여러 가지 노력을 한다면 충분히 극복 가능할 것이다.

피드백
학습한 내용을 바탕으로 과제의 답안을 잘 작성해주었네요:) 라켓의 소재와 형태가 테니스에서 스포츠 기술로 사용되고 있음을 잘 조사해주었어요! 스포츠 기술 도입에 대한 의견을 작성하는 부분에서도 자신의 의견을 뒷받침하는 근거와 더불어 반대측에서 제시할 수 있는 의견에 대한 반박까지 있어 좋았습니다~ 특히, 야구와 테니스에서 스포츠 기술에 대해 어떻게 규정하고 있는지 사례를 들어 공정성에 대한 문제도 잘 다뤄줬습니다! 과제하느라 수고했어요~ 학습활동 점수는 100점입니다!

주차	5	주제	유전자 편집의 시대

● 미션. 크리스퍼 기술 법안 발의

법안 내용 및 법안이 필요한 이유

발의자	박주원
법안명	제한적 크리스퍼 기술 활용 법안
법안이 필요한 이유	2018 년 11 월, 중국에서 '유전자 편집아기'에 대한 논란이 있었다. 중국의 허젠쿠이는 2016 년 부터 사비를 들여 외국인이 참여하는 연구팀을 구성해 유전자 편집 아기 실험을 실행하고 중국정부로 부터 제재를 받았다. 과연 과학 기술이 인간을 선택해서 태어나게 할 수 있는 것일까? 그렇지 않다. 인간은 그 존재로서 존엄하기 때문에 결코 그 존엄성이 훼손되어서는 안된다. 그렇지만 우리가 가지고 있는 유전자편집기술은 인간의 삶을 보다 나은 방향으로 살 수 있게 도움을 줄 수 있다. 따라서 인간의 존엄성을 해치지 않고 기술을 잘 사용하기 위해서는 그에 대한 명확한 규정이 필요하다.

제 1 조 (목적) 이 법은 유전자 편집기술 남용을 막고 기술 사용에 대한 적극적인 제한을 둠으로써 인간의 존엄성을 지키기 위함을 목적으로 한다.

제 2 조 (내용)

1항. 유전자 편집기술은 인간 및 반려동물에 활용해서는 안된다.

2항. 단, 치료를 위한 목적으로 유전자편집기술위원회에서 협의된 내용은 가능한다.

	3항. 법령에서 규정한 식품에 관련한 항목에 대해서만 연구 및 활용이 가능하다. 4항. 관련 연구 및 활용은 절차에 따라 허가를 받고 진행할 수 있다.
법안내용 • 최소 개발 기준. 3조 5항 • 필요 시 조. 항을 추가하여작성해 봅시다.	제 3 조 (정의) 이 법에서 사용하는 용어의 뜻은 다음과 같다. 1항. "유전자 편집기술"이란 유전자를 변형하거나 새로운 종과의 결합 및 이와 관련한 모든 분야에 대한 기술을 의미한다. 2항. "유전자편집기술위원회"란 대학, 연구기관, 기업 등에서 관련 연구를 하는 사람 중 추천과 희망을 통해 구성된 국가단위의 협의체이다. 3항. '적극적인 제한' 이란 법령에서 규정한 식품에 한해서만 유전자 편집기술을 활용할 수 있음을 의미한다. 제 4 조 (적용 범위) 1항. 유전자 편집기술을 사용하는 전 분야에 해당한다. 2항. 유전자 편집기술 사용에 관하여는 다른 법률에 특별한 규정이 있는 경우를 제외하고는 이 법에 따른다. 제 5 조 (유전자편집기술추진위원회) 1항. 과학기술정보통신부장관에 의해 추천된 협의체로 구성한다.

피드백
학습한 내용을 바탕으로 과제의 답안을 잘 작성해주었습니다:) 법안이 필요한 이유에서는 유전자 편집 기술에 대한 법안의 필요성을 잘 설명해주었습니다. 특히 중국에서의 '유전자 편집아기'에 대한 논란을 다루며 법안의 필요성을 더욱 강조한 점이 좋았습니다! 법안에서는 앞서 서술했던 법안이 필요한 이유에서 제시한 목적에 맞는 제도를 잘 제시했습니다~ 다만, 기술의 활용 기준이 '유전자 검토 결과, 기술이 적용될 부분이 인간의 필수적인 기능을 하는 부분과 관계없을 시에만 기술의 활용이 가능하다'와 같이 직접적인 활용 방안에 대해 다루었으면 더 좋았을 것 같습니다. 과제하느라 수고했어요~ 학습활동 점수는 95점입니다!

주차	6	주제	인공지능은 인간이 될 수 있을까?

● 논제1

아래 논제에 대해 여러분의 입장을 정하고 자신의 의견을 제시해 봅시다. 또한, 반대 입장에 대한 견해도 제시해 봅시다.

영화 채피(Chappie, 2015)의 등장인물 디온은 그의 신체가 죽어감에 따라 마지막 순간에 그의 정신을 로봇으로 이전했고, 그의 몸은 곧 죽었습니다. 하지만 그의 정신이 들어간 로봇은 그의 기억을 가지고 그처럼 말하고 행동했습니다. 그렇다면 디온은 죽은 것인가요, 산 것인가요? 또한, 이 로봇은 디온인가요? 아닌가요?

디온의 기억을 가지고 있는 로봇은 디온일까? 아닐까? 이 판단을 하려면 우선 인공지능이 생명을 가지고 있는 것인가에 대한 판단을 내려야 한다고 생각합니다. 저는 디온의 기억을 가지고 있는 로봇은 디온이 아니라고 생각합니다.

첫째, 인공지능으로 받아들인 기억에는 한계가 있기 때문입니다. 우리가 살아있는 존재, 생명을 가진 존재들은 살아가면서 뇌에 남는 기억뿐만 아니라 살아있는 신체를 통해 가지게 되는 감정과 경험들을 가지게 됩니다. 이 모든 것을 데이터화 해서 넘긴다고 해도 그것은 단순한 데이터일 뿐이라고 생각합니다. 디온은 죽고 디온의 기억만 남아있는 것입니다. 기억을 그 사람의 삶의 전부라고 할 수 는 없을 것입니다.

둘째, 인간처럼 사고 하는 체계를 가진 로봇이라고 해서 그 존재는 인간이라고 할 수 없습니다. 왜냐하면 기계는 무한한 복제가 가능하지만 인간은 그렇게 될 수 없기 때문입니다. 물론 인간의 세포 복제를 통해 나와 똑같은 인간을 만들 수도 있겠지만 그 복제된 인간 역시 나 일 수는 없습니다.

셋째, 삶이 끝나는 것은 생명을 다한 것이라고 할 수 있습니다. 기억에는 생명이 없습니다. 그래서 그 기억만으로 인간이 되어 삶을 가질 수는 없는 것입니다.

얼마 전 예술가 그룹 오비어스에서 생성모델 GAN 을 활용해서 에드몽드 벨라미의 초상화라는 작품을 만들었습니다. 이 작품은 14 세기부터 20 세기까지의 초상화 15,000 개를 수집하고 학습해서 다음과 같은 작품을 만들어 냈습니다. 인공지능이 만든 최초의 예술작품으로 화제가 되어 크리스티 경매에서 5 억 2 천만원에 낙찰되었다고 합니다.

그렇지만 인공지능이 만들어 내는 예술작품들에 대한 평가에는 많은 논란이 있습니다. 인간이 만들어 낸 것이 아니기 때문입니다. 축적된 데이터를 바탕으로 학습한 인공지능이 만들어 내는 작품과 한 인간의 삶을 담아 만들어 낸 작품에는 그 무게가 다르기 때문입니다.

아래 논제에 대해 여러분의 입장을 정하고 자신의 의견을 제시해 봅시다. 또한 반대 입장에 대한 견해도 제시해 봅시다.

인공지능 로봇과 인간이 함께 조화롭게 살아가는 사회가 되었다고 가정해 봅시다. 어느 날, 유람선을 타고 여행하던 관광객들은 운 나쁘게도 태풍을 만났고, 작은 구명보트를 타고 바다를 유랑하는 신세가 되었습니다. 하지만 보트의 정원은 10명인데 현재는 11명이 타고 있어 보트가 가라앉을 위험에 처했지요. 11명 중 하나는 인공지능 로봇 A였는데, 나머지 사람들은 그의 정신이 담긴 디스크만 보존하고 그의 몸을 버려 일단 육지까지 항해하고, 육지에 도달하면 꼭 새 몸체에 끼워 살려줄 것을 약속했습니다. 성공한다면 모두가 살아남기 때문에 이 제안은 타당해 보이지요. 하지만 우리의 로봇 A는 겁에 질렸습니다. 정신만 남은 자신의 디스크를 이들이 어떻게 할 것인지 신뢰할 수 없었고, 일단 몸을 버린다면 자신은 자신을 지킬 수단이 없었으니까요. 이 경우에 다른 사람들의 제안에 따라 디스크만 보존하는 것이 타당할까요? 아니면 다른 사람이 바다에 빠져야 할까요?

저는 로봇의 몸을 버리고 디스크를 만드는 데 동의합니다. 왜냐하면 그 디스크를 활용해서 똑같은 로봇을 복제할 수 있지만 다른 사람들은 그렇게 할 수 없기 때문입니다.

그렇지만, 로봇에게도 동등한 기회를 주어 11 명이라는 가정에서 살아남기 위한 논의를 해야한다고 이야기 할 수 있습니다. 왜냐하면 로봇이 겁에 질렸다는 것은 로봇이 학습된 것일 수도 있지만 인간에 가까운 감정을 가지고 있다고 생각할 수도 있기 때문입니다. 인간이 생명을 가지고 있으면서 가질 수 있는 감정도 인간 고유의 특성이고 이러한 특성을 가지고 있는 로봇은 죽임의 고통도 느낄 수 있기 때문입니다.

피드백
학습한 내용을 바탕으로 과제의 답안을 잘 작성해주었습니다:) 논제1에서는 로봇이 디온이 아니고 죽은 상태임을 인공지능의 한계, 인간과 로봇의 차이, 삶에 대한 견해와 함께 논리적으로 주장했습니다! 논제2에서는 제한된 조건에서 인공지능의 디스크 보존을 통해 모두가 살 수 있는 길을 택하는 것이 합리적임을 복제가 가능한 로봇과 인간의 차이를 생각해보며 주장해줬고, 반대 의견으로 로봇도 학습을 통해 감정을 느낄 수 있다는 점과 대안으로 로봇에게도 인간과 동등한 기회를 줘서 논의 과정을 거쳐야한다는 것 또한 잘 제시했습니다! 다만, 다양한 근거로 의견을 뒷받침해주었다면 더욱 설득력 있는 주장이 될 수 있었을 것 같습니다! 예를 들어, 문제상황과 동일하지는 않더라도 로봇이 딜레마 상황에 빠졌을 때의 대처 사례, 인공지능의 정의를 생각해봤을 때 나올 수 있는 논리적 결과 등을 근거로 사용하면 더 좋았을 것 같습니다! 과제하느라 수고했어요~ 학습활동 점수는 92점입니다!

주차	7	주제	영원히 지속되는 사후세계의 왕궁, 피라미드

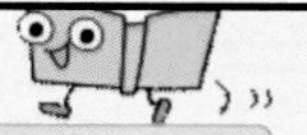

● 미션1

고대 문명에서 높은 건축물을 만들 때 피라미드 형태가 보편적으로 사용된 이유는 무엇일까요? 현재 일반적인 아파트 같은 직육면체 형태의 건축물보다 피라미드가 유리했던 이유를 구조물의 안정성 측면에서 설명해 보세요.

현대의 아파트 건물을 짓는 과정을 살펴보면 힘의 균형을 이루도록 설계를 하여 구조를 만든 후에 벽체 바닥 등을 만든다. 그렇지만 과거에는 높은 건물을 짓기 위한 구조를 만드는 것은 쉬운 일이 아니었을 것이다. 그래서 구조를 만들고 벽체 바닥을 만드는 대신 자연에서 얻을 수 있는 돌이나 사람의 힘으로 만들 수 있는 정도 크기의 벽돌을 만들어 피라미드와 같은 대형 건축물을 만들 수 밖에 없었다.

게다가 피라미드는 살아있는 사람들이 사용하는 공간이 아니라 왕처럼 특별한 사람들을 위한 상징적인 건축물이었기 때문에 공간 활용의 효율성 보다는 높은 건물을 짓는 데 그 목적이 있었을 것이다.

당시의 기술로 높이 쌓기 위해서는 힘의 분산을 활용한 피라미드 형태로 쌓기가 최선의 방법이었을 것이다.

빗면의 원리를 활용하여 고대 사람의 힘만으로 벽돌을 쌓아 피라미드를 건설하던 과정이 어떤 공정 순서로 이루어졌을지 자세히 추론해 보세요.

우선 큰 석재를 피라미드를 옮기기 위해서 석재 아래에 통나무 등을 깔아 마찰력을 줄여서 쉽게 이동할 수 있도록 했을 것이다.

이렇게 도착한 석재는 수직으로 들어올리기 위해서는 큰 힘이 필요하기 때문에 아래의 그림과 같이 건설하고자 하는 피라미드의 옆면에 흙이나 모래 등으로 경사면을 만들어서 끌어올리는 방식을 선택했을 것이다.

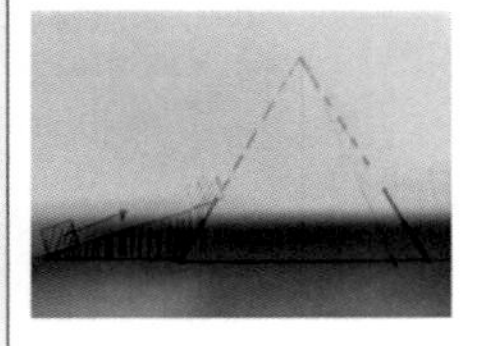

이 후 어느 정도 높이가 되고 나면 외부에 경사면을 만드는 데 많은 흙과 노동력이 들기 때문에 아래 그림과 같이 내부에 경사면을 만들어 쌓았을 것이다.

● 미션3

오늘날의 건축 기술로 피라미드를 다시 설계/제작한다면 어떤 기술들을 활용할 수 있을까요?
앞서 소개된 디자인 방법론 스캠퍼(SCAMPER)를 이용해서 피라미드를 다시 디자인해보고 왜 이런 디자인을 했는지 설명해 봅시다.

내가 만든 새로운 피라미드

	SCAMPER 질문	아이디어 도출
S (Substitute) 대체하기	돌 대신 다른 재료를 사용할 수는 없을까?	무거운 돌 대신 가벼운 폴리카보네이트 나 재활용 플라스틱 활용하기
C (Combine) 결합하기	피라미드와 높은 건물의 전망대를 합해 보면 어떨까?	왕의 무덤으로서만 존재하는 것이 아니라 시민들이 활용할 수 있는 공간 만들기
A (Adapt) 응용하기	뉴욕 베슬의 육각형 구조를 활용해 보면 어떨까?	공간 활용을 위해 육각형 구조 사용하기
M (Modify·Magnify·Minify) 수정·확대·축소하기	지금의 형태보다 작지만 더 높게 만들면 어떨까?	높이는 더 높게 대신 면적 좁게 하기
P (Put to other uses) 다른 용도로 사용하기	왕의 사후 세계를 위한 곳이자 왕권을 보여주는 곳이 었지만 박물관으로 만들면 어떨까?	C의 아이디어와 결합해서 박물관 전당대 등 다양한 기능이 있는 건물 만들기
E (Eliminate) 제거하기	불필요한 공간 대신 필요한 공간만 남기면 어떨까?	외부에 보여지는 것의 크기보다 실제로 활용할 수 있는 공간 만들기
R (Reverse·Rearrange) 반전·재정렬하기	외부부터 먼저 만드는 것이 아니라 내부 부터 만들어 보면 어떨까?	경사면을 활용한 건축방법 대신 구조를 세우고 외벽을 만드는 방식으로 만들기

결론

현재의 건축 기술로 만들 수 있는 피라미드의 기능을 가진 새로운 피라미드를 디자인 할 수 있다,

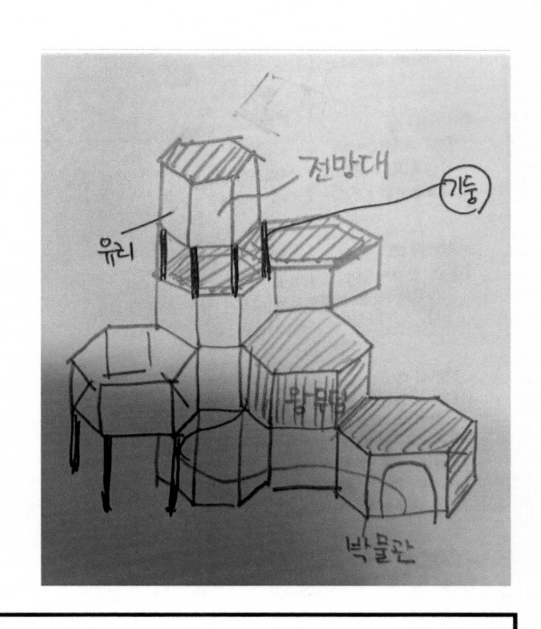

피드백
학습한 내용을 바탕으로 과제의 답안을 잘 작성해주었습니다:) 1) 고대의 건축기술로는 직육면체 형태로 높은 건물을 짓는 기술을 만드는 것을 어려웠을 것이라는 점과 공간의 효율성보다는 왕의 무덤으로 사용되는 용도였다는 점에서 현재의 직육면체 건축물과 차이가 있음을 잘 설명했습니다! 그렇다면, 여기에서 더 나아가 과학적 원리를 활용해 피라미드 형태가 직육면체 형태보다 구조적으로 안정적임을 설명해보면 더 좋을 것 같습니다! 2) 수직으로 들어올리는 것보다 옆면에 경사면을 만들어 끌어올리는 방식을 사용하면 힘의 크기를 줄일 수 있음을 잘 보여줬습니다~ 특히 더 높은 층을 쌓을 때는 노동력을 줄이기 위해 내부에 경사면을 만들어 쌓았을 것이라는 추론이 타당하면서도 독창적이었습니다! 3) 포스터를 깔끔하게 잘 만들어주었네요ㅎㅎ SCAMPER 기법을 활용해 무거운 돌 대신 가벼운 재료를 활용한다거나, 용도를 변경해 시민들이 활용 가능한 공간으로 만들기, 불필요한 공간 줄이기 등 다양한 방법을 잘 제시해줬습니다! 특히 뒷 부분에 최종적으로 만들고자하는 피라미드의 형태를 그림으로 표현해줘서 어떤 모양으로 지을 것인지 볼 수 있어 재미있었습니다! 과제하느라 수고했어요~ 학습활동 점수는 95점입니다!

주차	8	주제	지구와 인류의 미래, 친환경 에너지

● 미션 1

개념학습에서 언급된 친환경 에너지 외에 다른 종류의 친환경 에너지에는 무엇이 있는지 두 가지 이상 조사해봅시다.

1. 바이오 에너지

바이오매스 에너지는 유기 물질, 즉 식물성 물질 또는 생물학적 기체로부터 에너지를 추출하는 과정을 의미합니다. 이것은 대부분 재생 가능한 자원에서 나오며, 탄소 중립 및 친환경적인 에너지 소스로 간주됩니다.

1) 원료: 나무, 옥수수 왁스, 밀 췡 소재, 동물 배설물, 음식물 폐기물 등

2) 특징:

3) - 여러가지 방법으로 생산이 가능하다.

4) – 탄소중립이 가능하다.

5) – 재생가능성이 있다.

6) – 폐기물이 감소한다.

2. 수소에너지

수소에너지는 수소를 연료로 사용하여 에너지를 생성하는 과정을 의미합니다.

1) 원료: 수소

2) 특징:

- 연료를 연소할 때 물과 열만 생성하므로 대기 오염을 줄일 수 있다..

- -무한한 원료 제공이 가능하다.

- -높은 효율성이 있다.

주차	8	주제	지구와 인류의 미래, 친환경 에너지

• 미션 2

조사한 친환경 에너지 중 하나를 골라 에너지원과 에너지 발생 원리에 대해 자세히 설명해 봅시다

1. 바이오 에너지

살아있는 생명체로부터 생겨나는 에너지를 이용하는 것으로 나무를 사용해 땔감으로 사용하기도 하고 식물에서 기름을 추출해 액체 연료로 만드는 등 동 식물의 에너지를 이용하여 자연환경을 깨끗하게 유지할 수 있다.

출처: 한국에너지공단 신 재생에너지센터 홈페이지

바이오에너지로 변환되는 시스템은 바이오매스(태양에너지를 받은 식물과 미생물의 광합성에 의해 생성되는 식물체 균체와 이를 먹고 살아가는 동물체를 포함하는 생물 유기체) 따라 배출하는 액체 가스등이 다르다.

예를 들어 유기성폐기물은 발효시켜서 메탄가스를 포집해서 보일러에 공급해서 발전의 열원으로 사용한다. 이 열원으로 발생된 증기가 터빈발전기를 가동시켜서 전력을 생산하게 된다. 이 때 발생한 뜨거운 증기를 재사용이 가능하다

1)

2)

- 요즘 가정에서는 음식물쓰레기 처리에 대한 고민이 높다. 음식물쓰레기를 집집마다 모아서 한 군데에서 처리하면 이동을 시키는데 에너지소비를 많이 한다. 따라서 집집마다 음식물쓰레기를 처리할 때 에너지를 효율적으로 사용할 수 있는 방법을 생각해보았다.

-

- 1- 시중에 나와있는 음식물쓰레기 처리기 중 미생물 음식물처리기 제품이 있다. 이 제품은 미생물을 이용해 음식물을 분해하게 되는 데, 이 과정이 바이오에너지 변환 시스템과 유사하다.

- 그래서 이 미생물음식물처리기에 발전이 가능한 터빈을 달아서 음식물쓰레기처리를 발생하면서 나오는 메탄가스를 활용해서 처리기 내부에 장착된 터빈발전기를 활용해서 처리기 자체 에너지공급원으로 사용할 수 있다.

피드백
학습한 내용을 바탕으로 과제의 답안을 잘 작성해주었습니다:) 1. 바이오 에너지, 수소 에너지와 같은 또다른 친환경 에너지에 대해 조사했군요! 각 에너지가 어떤 에너지를 원료로 이용하며, 어떤 특징을 가지는지 잘 설명해주었습니다~ 2. 바이오 에너지에 대해 상세하게 잘 설명해주었습니다! 특히, 바이오 에너지의 원료로 식물의 기름, 나무 등을 이용하고, 유기성 폐기물의 경우에 어떻게 전력을 생산하는지 그 과정을 잘 설명해줬습니다! 다만, 다양한 에너지원과 그것들이 처리되는 방식이 다양하기 때문에 이 부분을 사진뿐만이 아닌 글로도 표현해주었다면 더욱 좋았을 것 같습니다~ 3. 바이오 에너지를 가정 내 음식물 쓰레기 처리기에 결합해 음식물 쓰레기를 한 곳에 모아 처리하는데 드는 에너지를 절약하는 방식에 대해 고민해보았네요! 미생물 음식물처리기가 어떻게 구성될 것이고, 어떻게 작동할 것인지에 대해서도 상세히 잘 작성해주었습니다~ 과제하느라 수고했어요~ 학습활동 점수는 89점입니다!

주차	9	주제	영화 속 미래 기술, 현실이 되다.

● 미션 1

여러분은 이제 여러분이 일상생활 중에서 겪었던 불편했던 점을 초전도체 혹은 메타물질 기술을 이용하여 극복하는 기술개발의 임무를 맡게 되었습니다 임무를 수행하기 위해 초전도체 혹은 메타물질 기술이 적용될 수 있는 일상생활 중의 불편한 상황을 곰곰이 생각해보고 이를 작성해 봅시다

- <문제점>
- 충전을 하려면 시간이 걸린다.
- 콘센트가 있는 곳에서만 충전이 가능하다.
- <해결 방안>
- 빠른 충전이 될 수 있는 시스템이 필요하다.

1) 안전하면서 간단한 시스템이 필요하다.
2) 초전도체의 전기 수송능력을 활용할 수 있다.

● 미션 2-1

(1) 여러분이 고안한 발명품은 어떤 기술을 적용하였나요?
(2) 그 기술은 불편했던 상황을 어떻게 개선시킬 수 있나요?

- <여러분이 고안한 발명품은 어떤 기술을 적용하였나요?>
- 초전도체의 전략전송 및 저장 기술

- <그 기술은 불편했던 상황을 어떻게 개선시킬 수 있나요?>
- 빠른 충전이 될 수 있는 시스템이 필요하다.

1) 안전하면서 간단한 시스템이 필요하다.
2) 초전도체의 전기 수송능력을 활용할 수 있다.

미션 2-2

여러분이 고안한 발명품 속에 어떤 과학적 원리가 적용되는지 그림과 함께 논리적으로 설명해 봅시다

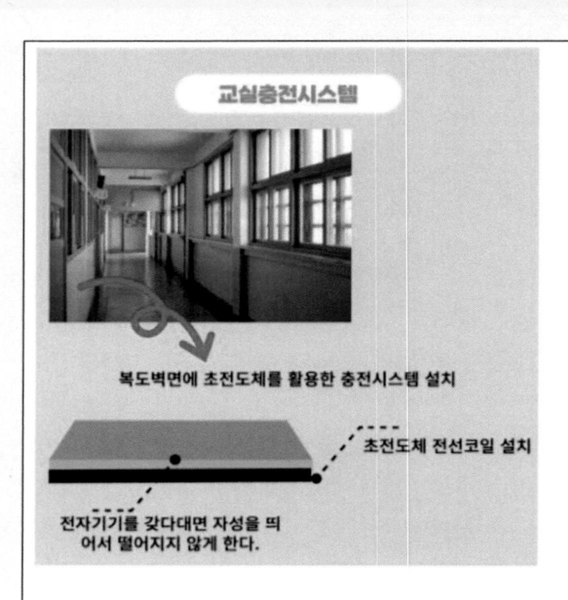

요즘 학교에서도 스마트패드나 노트북을 활용한 수업을 많이 한다. 그런데 가끔 많은 학생들이 충전할 수 있도록 충전단자가 들어 있는 함을 교실에 두거나 한 곳에 모아두기도 한다. 그래서 관리가 힘들고 충전하는 데 시간이 오래 걸린다. 초전도체 기술을 활용한 초고속으로 충전할 수 있는 시스템을 학교 곳곳에 설치하면 편리 할 것이다.

문제해결과정 3

그 기술이 해당 산업 분야에 필요한 이유는 무엇이며 그 기술을 통해 얻을 수 있는 장점에는 어떤 것들이 있나요?

전력 전송 및 저장의 경우 현재 환경문제가 심각한 것을 생각한다면 꼭 필요한 기술입니다.

왜냐하면 초전도체의 발전과 기술 활용을 통해서 전기 손실을 줄이고 기존에 전달할 수 있는 양보다 많은 양을 더 빠른 속도록 안전하게 이동하게 할 수 있기 때문입니다.

● 문제해결과정 4

우리 일상에서 불편했던 문제를 해결하기 위하여 초전도체나 메타물질의 원리를 적용할 수 있는 물건을 상상해 봅시다 이 물건이 일상의 속에서 불편했던 점들을 어떻게 해결해줄 수 있을지 생각하여 적어봅시다

얼마전 학교 과제를 하는 데 제 스마트폰 배터리가 나가서 고생을 했던 적이 있었습니다.

빨리 야외에 나가서 영상촬영을 했어야 하는 데, 빨리 충전이 되지 않아서 수업시간 20 분 이상을 낭비했던 적이 있습니다. 게다가 그날따라 스마트폰 충전을 안해온 친구들이 많아서 교실에 학생들이 쓸 수 있는 콘센트가 하나여서 정말 곤란했습니다.

초전도체 기술에 대해서 공부하게 되면서 영화에서 처럼 그냥 지나가면 빠르게 충전되는 시스템이 있으면 좋겠다는 생각을 하게 되었습니다.

피드백
학습한 내용을 바탕으로 과제의 답안을 잘 작성해주었습니다:) 1. 바이오 에너지, 수소 에너지와 같은 또다른 친환경 에너지에 대해 조사했군요! 각 에너지가 어떤 에너지를 원료로 이용하며, 어떤 특징을 가지는지 잘 설명해주었습니다~ 2. 바이오 에너지에 대해 상세하게 잘 설명해주었습니다! 특히, 바이오 에너지의 원료로 식물의 기름, 나무 등을 이용하고, 유기성 폐기물의 경우에 어떻게 전력을 생산하는지 그 과정을 잘 설명해줬습니다! 다만, 다양한 에너지원과 그것들이 처리되는 방식이 다양하기 때문에 이 부분을 사진뿐만이 아닌 글로도 표현해주었다면 더욱 좋았을 것 같습니다~ 3. 바이오 에너지를 가정 내 음식물 쓰레기 처리기에 결합해 음식물 쓰레기를 한 곳에 모아 처리하는데 드는 에너지를 절약하는 방식에 대해 고민해보았네요! 미생물 음식물처리기가 어떻게 구성될 것이고, 어떻게 작동할 것인지에 대해서도 상세히 잘 작성해주었습니다~ 과제하느라 수고했어요~ 학습활동 점수는 89점입니다!

주차	10	주제	다수결의 역설

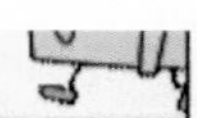

● 미션 1

지훈이는 참가자들의 순위에 맞춰 점수를 주고 이를 합한 점수를 비교하여 최종순위를 정하고 싶어 합니다 어떤 투표 방법이 이에 적절할까요 지훈이의 방법에 따라 1위에게는 6점을 두 번째부터 차례대로 4점, 2점, 1점, 0점을 준다고 할 때, 5명의 참가자들의 최종순위는 어떻게 될까요?

내용을 입력하세요

	A	B	C	D	E
지훈	4(2)	2(3)	6(1)	0(5)	1(4)
준영	6(1)	2(3)	0(5)	4(2)	1(4)
성미	2(3)	6(1)	1(4)	0(5)	4(2)
합계	12	10	7	4	6

점수(등수)

앞의 결과를 대상자별로 정리하면 위의 표와 같다. 따라서 등수는 A -1 위 B-2 위 C-3 위 E-4 위 D-5 위 이다.

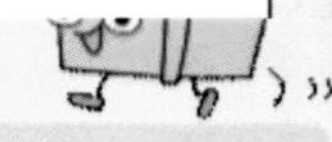

● 미션 2

준영이는 과반수 방법을 순위별로 활용하여 심사위원의 평가가 가장 많이 겹치는 순위를 참가자의 최종순위로 정하고 싶어 합니다 예를 들어 참가자 B를 1위로 평가한 심사위원은 1명, 3위로 평가한 심사위원이 2명이므로 최종순위 역시 3위가 됩니다 비슷한 방법으로 참가자 D, E의 최종순위는 각각 5위와 4위가 됩니다 그렇다면 A와 C의 최종순위는 어떻게 결정하는 것이 좋을지 여러분의 의견을 말해봅시다

A 는 1 위 한 명, 2 위 한 명, 3 위 한 명이 선택하였고,

C 는 1 위 한 명, 4 위 한 명, 5 위 한 명이 선택하였다.

우선 1 위를 각 1 명씩 선택하였지만 나머지 사람들은 A 는 2 위, 3 위를 선택하였고, B 는 4 위, 5 위를 선택하였다. 결과를 낼 때 얼마나 높은 순위를 많은 사람에게 받는 지가 평가의 기준이 되어야 한다고 생각한다. 따라서 높은 순위를 많이 받은 A 가 1 위가 되는 것이 바람직하다.

● 미션 3

한편 성미는 참가자를 두 명씩 비교하여 더 높은 순위로 평가된 횟수가 많다면 최종순위에 더 높은 순위가 되도록 최종순위를 정하고 싶어 합니다 어떤 투표 방법이 적절할까요 그에 따른 5명의 참가자의 최종순위도 결정해봅시다

참가자를 두 명씩 비교한다면 모두 5 명의 참가자가 있기 때문에 총 10 가지이다.

-A:B 2 위:3 위, 1 위:3 위, 1 위:3 위=> A 는 2 번 B 는 1 번

-A:C. 2 위:1 위,1 위:5 위, 3 위:4 위 =>A 는 2 번 C 는 1 번

-A:D 2 위:5 위, 1 위:2 위, 3 위:5 위=> A 는 3 번 D 는 0 번

-A:E 2 위: 4 위, 1 위:4 위, 3 위:2 위=> A 는 2 번 E 는 1 번

-B:C. 3 위: 1 위, 3 위:5 위, 1 위:4 위 => B 는 2 번 C 는 1 번

-B:D 3 위:5 위, 3 위:2 위, 1 위:5 위 => B 는 2 번 D 는 1 번

-B:E 3 위:4 위, 3 위:4 위, 1 위:2 위=> B 는 3 번 E 는 0 번

-C:D 1 위:5 위, 5 위:2 위, 4 위:5 위 => C 는 2 번 D 는 1 번

-C:E 1 위:4 위, 5 위:4 위, 4 위:2 위=> C 는 1 번 E 는 2 번

-D:E 5 위:4 위, 2 위:4 위, 5 위:2 위=> D 는 1 번 E 는 2 번

따라서 A 는 총 9 번, B 는 총 8 번, C 는 5 번,D 는 3 번, E 는 5 번 이다. 순위를 나열하면
1 위는 A, 2 위는 B , 3 위는 C,E , 5 위는 D 이다.

● 미션 4

지훈이와 준영이 그리고 성미의 방법 중 어떤 방법이 가장 적절하다고 생각되나요 여러분의 의견을 자유롭게 말해봅시다

내용을 입력하세요

	A	B	C	D	E
지훈 방법	1 위	2 위	3 위	5 위	4 위
준영 방법	1 위 또는 2 위	1 위 또는 2 위	3 위	5 위	4 위
성미 방법	1 위	2 위	3 위	5 위	3 위

각 사람의 방법을 정리하면 위와 같다.

현재의 결과로는 지훈이의 방법이 가장 합리적여 보인다. 왜냐하면 심사위원들의 의견을 모두 반영할 수 있었기 때문이다. 그렇지만 이 역시 동점이 나왔을 때의 방법은 정하기가 어렵다. 그렇지만 세 명의 방법 모두 결과를 놓고 보면 결과적으로 매우 비슷함을 알 수 있다. 따라서 정확하게 모든 사람의 등수를 정하지 않고 1 등만 뽑을 경우 세 명의 방법 모두 적합하다고 할 수 있을 것이다.

피드백
학습한 내용을 바탕으로 과제의 답안을 잘 작성해주었습니다:) 미션1) 지훈이의 방법을 이용해 A~E의 점수를 정확히 계산했고, 최종 순위를 잘 도출했습니다. 다만, 지훈이의 방법에 어떤 투표 방법이 적절한지에 대해서도 작성해주어야 했습니다. 미션2) A와 C의 심사위원 순위를 비교했을 때 A가 상대적으로 높은 순위를 많이 받았기 때문에 A가 1위가 되어야함을 잘 설명해주었습니다! 다만, 해당 방법이 어떤 면에서 타당한지에 대한 설명도 있었다면 더 좋았을 것 같습니다~ 미션3) 성미의 방법을 잘 활용해 각 대결을 잘 작성해주었지만, 각 대결에서 후보의 승리 횟수를 구하고 모두 합하는 것이 아니라, 각 대결에서의 승자가 될 후보를 결정하고, 총 10번의 양자 대결에서 많이 승리한 순서대로 순위가 결정이 되어야합니다! 이를 참고해 다시 한 번 순위를 결정해보면 좋을 것 같습니다. 미션4) 각 방법을 이용해서 도출된 최종 순위를 비교함으로써 지훈이의 방법이 가장 타당함을 작성해주었습니다. 하지만, 지훈이의 방법도 동점이 나왔을 때 결정이 어렵다는 점을 잘 지적해줬으며, 현재처럼 모두의 등수를 결정해야하는 상황이 아닌 1등만 정해야하는 상황이면 어떤 방법을 사용하든 괜찮음을 잘 설명해주었습니다~ 과제하느라 수고했어요~ 학습활동 점수는 100점입니다!

한 해동안 영재교육원 수업을 통해서 여러 가지 주제에 대해서 고민하고 해결하는 과정을 배우는 일은 나에게 큰 변화를 가져왔다. 그리고 내가 살고 있는 환경 속에서도 얼마든지 좋은 교육을 받을 수 있다는 확신이 생겼다. 그래서 사이버영재교육원이 얼마나 내게 좋은 기회였는 지에 대한 내용으로 영상을 만들어서 후기 공모에 제출해서 아이디어상을 받기도 했다. 지금도 카이스트영재교육원 채널에 내가 만든 영상이 올라가 있어서 자랑스럽다.

직접 수업을 들으러 가는 시간과 집에서 수업을 듣는 시간을 비교해서 영상에 담았어요!

플라스틱 쓰레기문제 해결해야한다!

플라스틱 쓰레기 분류 방법 연구

이런 과정을 통해서 내가 고민하던 문제를 직접 해결해 보고 싶은 마음이 생겼다.

항상 내 마음 한켠을 불편하게 하고 있었던 주제!

그것은 바로 '플라스틱'이다. 플라스틱! 우리 생활 속에서 쓰이지 않는 곳이 없지만 이 플라스틱으로 인해 지구 곳곳에서는 많은 문제들이 발생하고 있다.

특히 코로나 19를 지나면서 우리는 우리의 안전을 위해 어쩔 수 없이 너무나 많은 양의 플라스틱 쓰레기를 만들어냈다. 이 쓰레기에 대한 고민은 나만의 고민은 아니었다.

일회용마스크를 재활용해서 의자를 만드는 예술가도 있었고, 버려지는 플라스틱 배달용기를 어떻게 재활용 할 수 있을까?에 대해 고민하는 과학자들도 있었다.

나 역시 이런 고민 속에서 수많은 플라스틱 쓰레기들이 모이고 처리되는 과정에서 생기는 문제들에 대해서 생각해 보게 되었다.

"어떻게 하면 플라스틱 쓰레기를 안전하고 효율적으로 분류할 수 있을까?" 가 내가 고민한 부분이었다.처음 이 내용에 대해서 찾아보고 공부를 해 보면서 플라스틱 쓰레기 문제가 최근의 일만은 아니라는 사실을 알게 되었다. 이미 플라스틱 협약을 위해 세계는 노력하고 있었다.선진국의 쓰레기들이 개발도상국이나 태평양의 섬나라들에 흘러들어 가서 우리의 예상과는 달리 태워지고 쌓여가는 동안 그곳 사람들의 삶을 망가트리고 있다는 사실에 대해서 더 많이 걱정하게 되었다. 당연히 우리 삶에서 플라스틱 쓰레기를 최대한 줄일 수 있는 방법도 알아봐야겠지만, 일단 생기고 있는 쓰레기를 안전하게 처리할 수 있는 방법들에 대해서 고민하게 되었다.

그리고 플라스틱에 대해서 알아보기 시작했다. 인터넷에서 여러 가지 자료를 찾아보았는데, 어려운 내용도 많았다. 어려운 단어들은 부모님께 여쭤보기도 하고 직접 찾아보기도 하면서 플라스틱의 분류에 대해서 알아보았다. 아래에 제시된 표는 재활용을 위해 플라스틱을 분류하는 방법으로 총 7가지로 나타내고 있다. 이는 국제적인 표준으로 전 세계에서 사용하는 방법이다.

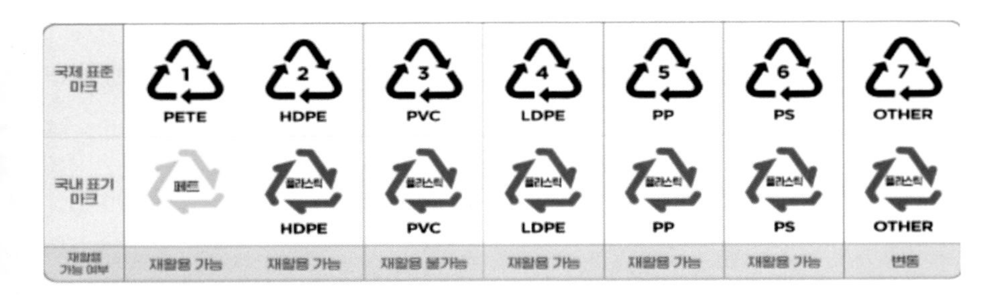

국제 표준 마크	1 PETE	2 HDPE	3 PVC	4 LDPE	5 PP	6 PS	7 OTHER
국내 표기 마크	페트	플라스틱 HDPE	플라스틱 PVC	플라스틱 LDPE	플라스틱 PP	플라스틱 PS	플라스틱 OTHER
재활용 가능 여부	재활용 가능	재활용 가능	재활용 불가능	재활용 가능	재활용 가능	재활용 가능	변동

이렇게 플라스틱 쓰레기가 분류되면, 우리는 각 플라스틱의 성분대로 수거해서 이를 다시 원료로 만들 수 있게된다. 불순물이 섞이거나 성분이 다른 플라스틱 끼리 섞이게 되면 재활용률이 낮아질 수 밖에 없다.

이런 플라스틱을 분류하는 방법에 대해서 고민을 하게 되면서 나는 과학책에서 배운 물질을 분류할 때 밀도차를 이용하면 가능하다는 사실을 알게 되었다. 그리고 플라스틱의 밀도차가 있는 지 찾아 보았다.

플라스틱 종류	비중	플라스틱 종류	비중
PETE	0.91~0.92	PP	0.9
HDPE	0.94~0.96	LDPE	0.92~0.94
PVC	1.3~1.6	PS	1.02~1.08

이 자료를 바탕으로 밀도차를 이용한 실험을 설계하고 준비를 하여 바로 실행하였다. 처음에는 시행착오가 많았지만, 학교에서 배운대로 실험설계부터 차근 차근 해 나가기로 했다. 내가 스스로 계획한 첫 실험이라서 무척 긴장되고 걱정되기도 했다.

제일 먼저 여러가지 액체의 밀도를 조사해 보았다. 물은 1.0 g/cm3 으로 내가 계획한 실험에서는 더 다양한 밀도의 액체가 필요했기 때문이다.

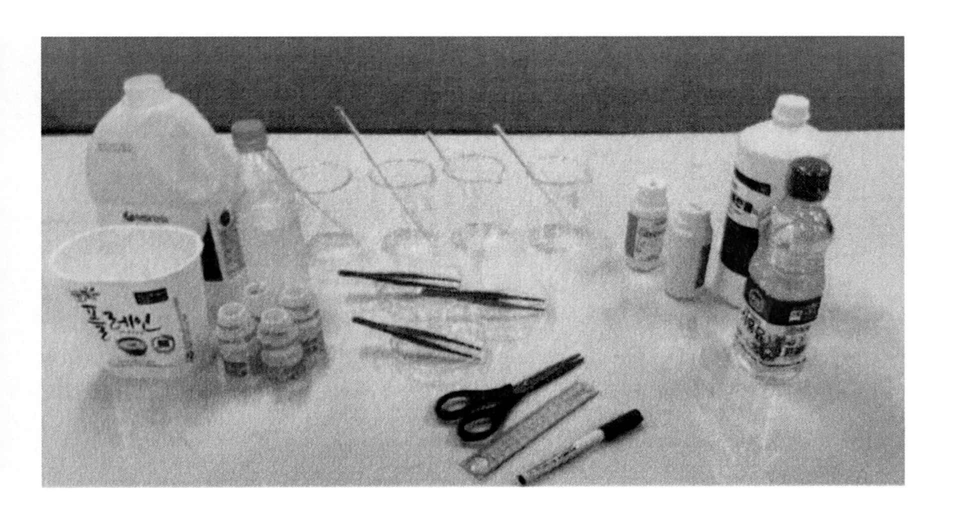

준비물	생수병, 요구르트병, 우유병, 증류수, 글리세린, 식용유, 에탄올, 250ml 비커 12개, 유리막대 4개, 페트리 접시 3개, 집게 3개, 가위, 자

실험에 필요한 준비물을 준비할 때, 종류가 다른 플라스틱을 준비하기 위해서 눈에 보이기에 다른 재질인 플라스틱을 준비하였다. 그리고 에탄올(0.79 g/cm3), 식용유(0.93 g/cm3), 물(1.0 g/cm3), 글리세린(1.26 g/cm3)을 준비해서 밀도차를 충분히 확보하였다.

그리고 세 가지 종류의 플라스틱 병을 가로 세로 1cm의 크기로 잘랐다. 이때 그 모양을 정확하게 하기 위해 미리 자를 이용해서 칸을 그리고 그 칸에 맞춰 정확하게 자르려고 노력했다. 생각보다 시간이 많이 걸렸었다.

이렇게 준비된 준비물을 라벨링을 해서 실험을 할 준비를 했다. 실험은 총 3회를 계획했다. 처음에는 1회만 해도 되지 않을까? 라고 생각했었는데, 신뢰할 만한 데이터를 얻기 위해서는 실험 횟수를 늘리는 것이 좋겠다는 과학선생님의 조언을 받아서 그렇게 계획하게 되었다. 예상한 결과가 있으니 그 결과대로 실험이 되었으면 좋겠다고 생각했다. 내가 이런 이야기를 아빠에게 하니, 아빠가 ‘ 연구자는 절대로 데이터를 속여서는 안된다. 그리고 내가 머리 속에 내린 결론만 생각하다 보면 실험 결과가 정확하지 않을 수 있으니, 다양한 경우의 수를 예측하되, 그것이 정답이라고 생각하지는 말라.’ 라고 이야기 해주셨다. 처음에는 의아했지만, 연구자가 되려면 연구자가 가지는 윤리에 대해서도 고민을 꼭해야한다고 하셔서, 실험 결과를 정확하게 그리고 객관적으로 관찰하기로 결심했다.

플라스틱 조각들을 넣고 용액에 완전히 잠기도록 유리 막대로 저은 뒤 결과를 기다렸다. 젓는 동안에도 일부 플라스틱 조각들은 확실하게 가라앉거나 확실하게 뜨는 것들도 있었지만, 정확한 결과를 얻기 위해서 안정화가 될 때까지 기다렸다. 약 10분의 시간이 흐른 후 플라스틱 조각들이 어떤 상태인 지 확인해 보았다. 정확하게 하기 위해 사진을 찍고 핀셋으로 하나 하나 분류해서 확인해 보았다.

이 실험 결과를 바탕으로 플라스틱을 분류하는 장치를 고민해 보았다. 플라스틱을 잘게 부수고 잘게 부서진 조각을 밀도가 다른 용액에 넣어서 분류하는 방식이다. 이러한 방식을 이용하면 사람들이 힘들이지 않고 자동화된 시스템으로 안전하게 분류할 수 있겠다는 생각이 들었다.

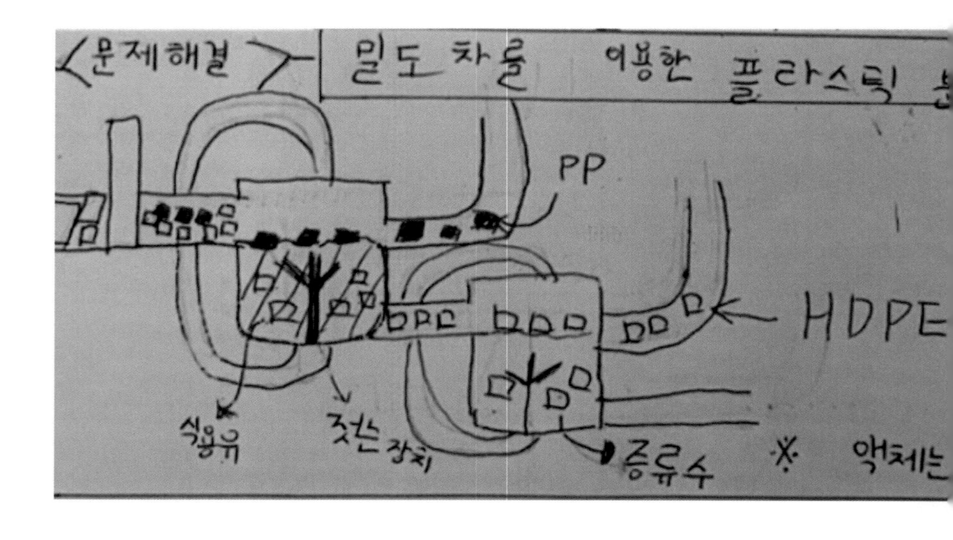

그런데 내가 멋진 생각을 했다는 기쁨도 잠시, 실제로 플라스틱을 분류하는 사람들이 떠올랐다. 그곳의 환경은 이런 장치를 설치할 수도 값비싼 장비를 이용하기도 어려운 상황이라는 것을 깨달았다. 그들이 어떻게 안전하게 플라스틱을 분류하는 데 도움을 줄 수있을까? 에 대해서 다시 고민하게 되었다.

그러다 플라스틱을 분류할 수 있는 방법에 분광법이 있다는 것을 알게되었다. 모든 물질은 광원을 받으면 각각의 물질의 특징에 따라 다른 파장을 가지고 있는 데, 이런 성질을 활용하면 물질을 분해하거나 다른 처리를 하지 않고도 분류가 가능하다는 것이었다. 그래서 이 실험을 하기 위해 FH-IR과 같은 분광기를 이용한 실험을 해보고 싶었으나 내가 살고 있는 주변에서는 이런 장비를 사용할 수 있을 만한 곳이 없었다. 아쉬운 마음에 내가 해 볼 수 있는 것이 없을까?라고 생각하고 인터넷을 찾아보다가 우연히 '플라스틱 스캐너'를 만든 사람에 대해서 알게 되었다.

네덜런드의 대학원생인 제리 드 보스는 내가 상상하고 있던 것을 만들고 있었다. 아직 완성된 버전은 나오지 않았지만 본인이 개발한 보드를 공개하여 함께 연구를 해서 완성시키자고 이야기 하면서 프로젝트를 온라인을 통해 공유하고 있었다. 나는 너무 반가운 마음에 제리에게 무작정 메일을 보냈다.

Hello 받은편지함 ×

choae lee <pwhjuwon11@gmail.com>
jerry에게

Hello.
Nice to meet you.
I'm Juwon Park from South Korea.
I'm 14 years old. I'm a middle school student.
I'm interested in Plastic. So I studied by myself how to classify Plastics.
And I tried to classify Plastic using their density difference.
But it's not enough.
Finally, I found you.
Your Plastic scanner is amazing!
I want to try your Plastic scanner soon.
Actually, I don't know how to make it.
But I'm trying to study it.
Thank you,
and thank you for your Plastic scanner.
Good luck to you.

your big fan from Korea, Juwon🤩

친절한 제리는 내게 답장을 해주었고, 자신의 사이트에 공유되어 있는 자료를 이용하면 나도 플라스틱 스캐너를 직접 만들어 볼 수 있다는 것을 알려주었다. 그리고 나도 다른 것을 만들 수 있다고 이야기 해주어서 너무 기뻤다.

Jerry de Vos
나에게

Hello Juwon,
Thank you for your email, this is very kind.
Keep up the good work, you will make a difference.
Kind regards,
Jerry

제리가 공유한 자료는 내가 잘 모르는 분야였다. 이곳 저곳에 물어보기도 하고 챗gpt에게 상의도 해보고 하면서 제리가 만들고 있는 프로토타입을 나도 한 번 제작해보기로 결심했다.
PCB 기판을 주문하고 이제 부품을 조립해서 실제로 작동하는 지 확인해 보고 싶은 마음에 관련한 내용을 공부하고 있다. 주변에서는 잘 만드는 사람에게 부탁해서 만들어 달라고 하면 되지 않냐고 이야기 하지만 나는 내가 직접 한 번 해 보고 싶다.

어렵게 책을 찾아보면서 주문한 PCB 기판이 5장 집에 도착했는데, 무척 설레었다. 부품을 구입하는 것도 쉬운 일은 아니지만 부품을 판매하는 업체에 도움을 받아 부품을 구입하였다.

아직 완벽하게 완성되지는 않았지만, 한 걸음 나아간 것 같아서 무척 기분이 좋았다.

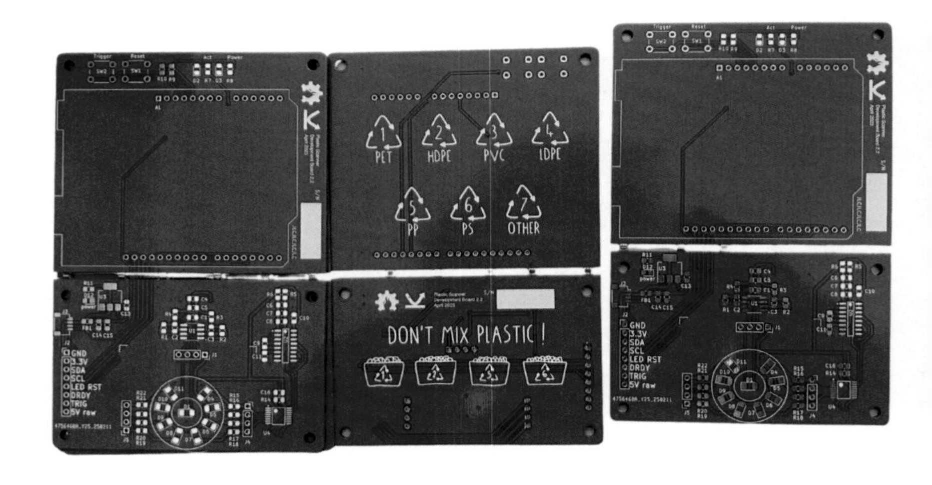

리유저블 컵 이대로 사용해도 괜찮을까?

미세플라스틱과 유해물질 검출에 관한 연구

2021년 여름 어느 프랜차이즈 커피 브랜드의 리유저블 컵 대란이 있었다. 사람들은 비싼 가격의 신메뉴 음료를 하나 사면 리유저블 컵을 받을 수 있다는 말에 줄을 서기 시작했고 당시부터 지금까지도 선풍적인 인기를 끌고 있다. 요즈음은 대부분의 커피 브랜드에서 판매 또는 이벤트 용으로 리유저블 컵을 증정하고 있다. 리유저블 컵 대란을 일으켰던 커피 브랜드의 리유저블 컵 설명서를 읽어보면 '리유저블 컵은 재활용이 가능하며 제품의 특성상 가급적 20여회 사용을 권장드립니다.' 라고 쓰여 있다. 평소 환경 문제에 관심이 많았던 우리 팀은 '영구 사용할 수 있는 제품이 아니라면 리유저블 컵 사용이 새로운 플라스틱 쓰레기를 늘리는데 일조하는 것은 아닐까?' 하는 생각을 했고 이에 관심을 가지고 관련 뉴스 및 기사를 찾아보았다. 당시 해당 커피 브랜드의 관계자의 말에 따르면 "20회는 리유저블 컵을 최상의 컨디션으로 쓸 수 있는 횟수를 말한 것"이라며 "주의사항에 따라 관리만 잘한다면 그 이상 지속해서 사용할 수 있다"고 하였다.(주간동아, 구희언기자2021.08.24.).

우리 팀원들 또한 리유저블 컵을 자주 사용하여 음료를 마시기에 리유저블 컵을 계속 사용했을 때 과연 ①인체에 안전한지 그리고 ② 리유저블 컵을 실질적으로 몇 회까지 사용할 수 있으며, ③리유저블 컵을 바르게 사용할 수 있는 방법에는 어떤 것이 있는지에 대한 호기심과 궁금증을 바탕으로 이 주제를 선정하게 되었다.

우리 연구의 목적은 안전성의 측면에서 리유저블 컵을 계속 사용해도 괜찮은지 확인하는 데에 중점을 둔다. 실생활에서 리유저블 컵을 사용하는 다양한 상황과 유사한 상황 요인(액체의 온도, 리유저블 컵 사용횟수, 리유저블 컵에 담는 액체의 종류, 고온에서 리유저블 컵의 변형 정도 등)을 실험적으로 조성하여 각 상황에서 리유저블 컵에서 발견되는 미세플라스틱의 수 및 유해물질, 컵의 변형 정도 등을 관찰하고 경향성에 대해 탐구한다.

(1) 기초 자료 조사를 통해 리유저블 컵에 사용되는 다양한 플라스틱의 종류에 대해 조사하고, 사용하면서 발생하는 미세플라스틱 및 유해물질을 확인할 수 있는 방법을 탐색한다.

(2) 실생활에서의 사용 상황과 유사한 사용 요인을 설정하여 리유저블 컵에서 검출되는 미세플라스틱 및 유해물질, 컵의 변형 정도 등을 정량적으로 확인한다.

(3) 정량적인 자료를 바탕으로 리유저블 컵을 어떻게 사용하는 것이 안전한 지에 대해서 액체의 적정온도, 리유저블 컵의 사용횟수, 담는 액체의 종류, 내구성에 대한 표준화된 사용 매뉴얼을 제작한다.

우리가 흔히 사용하는 리유저블 컵을 얼마나 어떻게 사용해야 하는지에 대한 연구를 통해 올바르게 리유저블 컵을 사용하는 방법을 제안하여 사용자의 건강을 지키고, 우리의 연구가 리유저블 컵 사용에 대한 사람들의 인식을 전환해서 환경오염의 원인 중 하나인 플라스틱 사용을 줄이는 데 조금이나마 도움이 되기를 바란다.

연구내용은 다음과 같다.

[탐구 1] 사용횟수에 따른 미세플라스틱 수 관찰

리유저블 컵으로 마시는 물의 온도를 조사하여 일정한 시간 동안 리유저블 컵에 담아둔 뒤, 각 온도별 리유저블 컵 사용횟수에 따라 샘플을 추출하여 미세플라스틱의 수를 관찰한다. 재질별(PP, PC, PCT, 에스텐) 리유저블 컵을 사용하고, 현미경을 이용해 관찰한다.

[탐구 2] 액체의 종류에 따른 미세플라스틱 수 관찰

일반적으로 리유저블 컵에 담는 음료에 대해 자료조사 후 음료를 선정하여 일정한 시간 동안 리유저블 컵에 담아둔 뒤, 샘플을 추출하여 미세플라스틱의 수를 관찰한다. 재질별(PP, PC, PCT, 에스텐) 리유저블 컵을 사용하고, 현미경을 이용해 관찰한다.

[탐구 3] 사용횟수에 따른 유해물질 분석

사용횟수에 따른 리유저블 컵 내 유해물질의 발생량에 대해 연구한다. 재질별(PP, PC, PCT, 에스텐) 리유저블 컵을 사용하고, ICP-OES 분석을 통해 유해물질이 검출되는지 확인한다.

[탐구 4] 사용횟수에 따른 조직변형 관찰

리유저블 컵으로 마시는 물의 온도를 조사하여 일정한 시간 동안 리유저블 컵에 담아둔 뒤, 리유저블 컵의 조직변형 정도에 대해 연구한다. 재질별(PP, PC, PCT, 에스텐) 리유저블 컵을 사용하고, 현미경을 이용하여 컵의 변형을 조사 및 연구한다.

[탐구 5] 고온에서의 조직변형 관찰

리유저블 컵을 고온의 환경에 노출시켰을 때 생기는 리유저블 컵의 조직변형 정도에 대해 연구한다. 재질별(PP, PC, PCT, 에스텐) 리유저블 컵을 사용하고, 현미경을 이용하여 컵의 변형을 탐구한다.

[탐구 6] 극한의 사용횟수에 따른 미세플라스틱 수 관찰

앞선 사용횟수에 따른 미세플라스틱 수 관찰의 확장 실험으로 리유저블 컵의 사용횟수를 특정 온도에서 100회 까지 늘렸을 때 재질별 리유저블 컵에서 나타나는 미세플라스틱의 수를 현미경을 이용해 관찰한다.

[탐구 7] 고온에서의 미세플라스틱 수 관찰

앞선 고온에서의 조직변형 관찰의 확장 실험으로 리유저블 컵을 고온의 환경에 노출시켰을 때 재질별 리유저블 컵에서 나타나는 미세플라스틱의 수를 현미경을 이용해 관찰한다.

[탐구 8] 리유저블 컵 사용 매뉴얼 제작

리유저블 컵을 어떻게 사용하는 것이 안전한지에 대해서 액체의 적정온도, 리유저블 컵의 사용횟수, 담는 액체의 종류, 내구성에 대한 표준화된 매뉴얼을 만들고 올바르게 리유저블 컵을 사용하는 방법을 제안하여 사용자의 건강을 지키는 데 기여할 수 있도록 한다.

선행연구를 조사 결과 플라스틱 용기 자체에 대한 미세플라스틱에 대한 연구는 있었으나, 리유저블 컵을 사용할 때 담는 내용물에서 검출되는 미세플라스틱에 따른 연구 결과는 찾을 수 없었다.

그래서 플라스틱의 종류에 대해서 그 동안 연구했던 지식을 바탕으로 실험을 설계하고 이에 따른 미세플라스틱을 연구하기 시작했다.

학교 과학실과 집 그리고 연구실을 다니면서 관련 실험을 실시하였고 친구들과 함께 결과분석에 힘썼다.

사실 실험을 시작하기 전 미세플라스틱을 직접 관찬할 수 있는 방법에 대한 논의를 많이 했었는데, 처음에는 FH-IR 분석을 해 보고 싶었으나, 학교 과학실에는 관련 장비가 없었고, 울산과학관에 공동연구실이 있는데, 마침 리모델링 기간이라 분광실험을 해 보지 못해서 무척 아쉬웠다.

우리가 가장 구하기 쉬웠던 광학현미경을 이용해서 미세플라스틱을 관찰해 보았다. 광학현미경도 종류가 많았는데, 다양한 광학현미경으로 관찰해서 가장 실험에 적합한 실험도구를 찾아보았다.

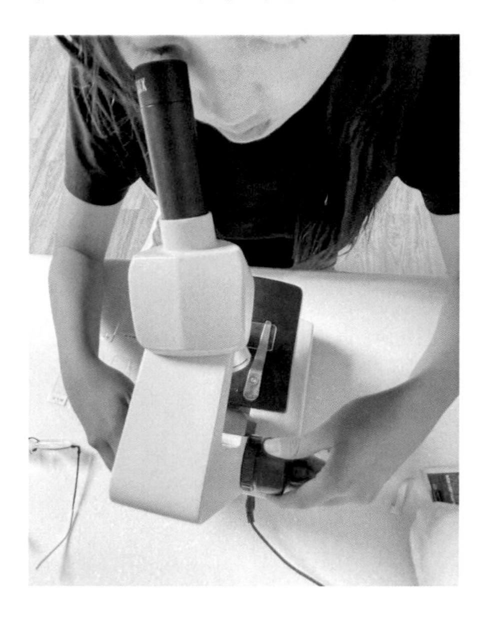

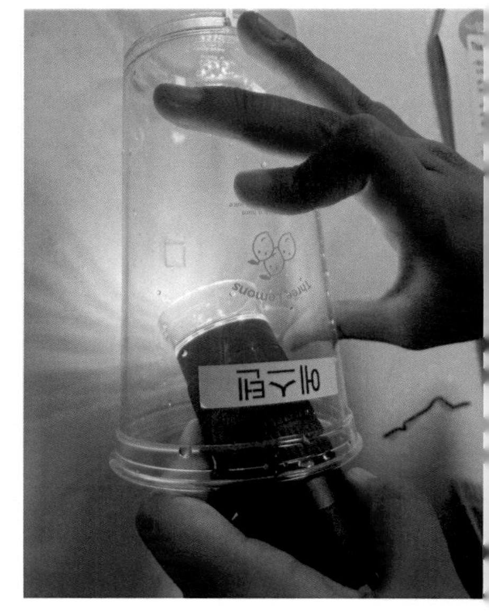

그러다 ICP-OES를 사용할 수 있는 기회가 되어서 우리가 고민했던 유해물질에 대한 실험을 직접 할 수 있어서 다행이었다. 실험을 진행하는 과정은 쉽지 않아서 아빠의 도움을 받아서 진행해 보았다. 그렇지만 해내기 위해서 밤낮없이 노력했다. 탐구활동을 하는 동안 학교 성적이 조금 저조했던 것은 아쉽지만 내가 투자할만한 가치가 있는 시간이었다고 생각한다.

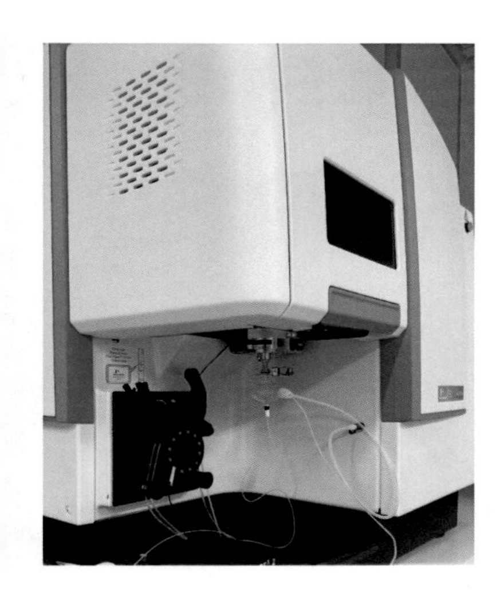

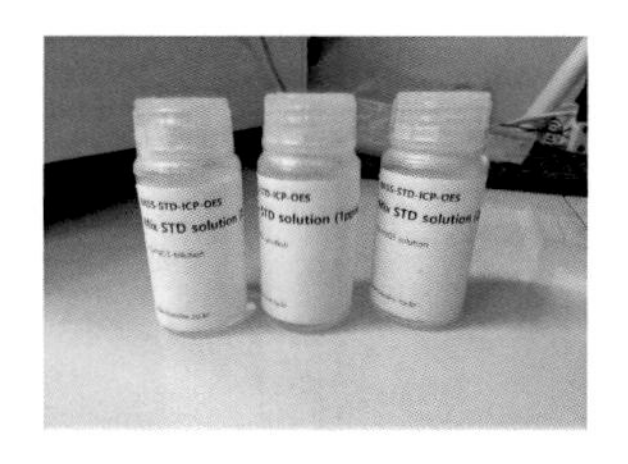

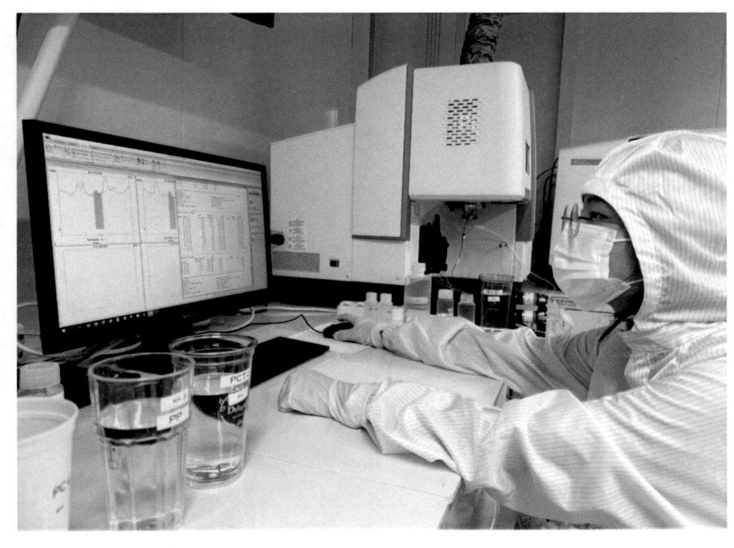

그리고 우리의 연구를 통해 무언가 다른 사람들에게 도움이 될 만한 매뉴얼을 만들어보았다. 연구 결과를 통해서 다른 결과물을 내는 과정도 나에게는 흥미로웠다. 그리고 궁금증을 해결하는 것을 넘어 새로운 무엇을 만들어낼 수 있다는 사실이 무척 흥분되는 과정이었다.

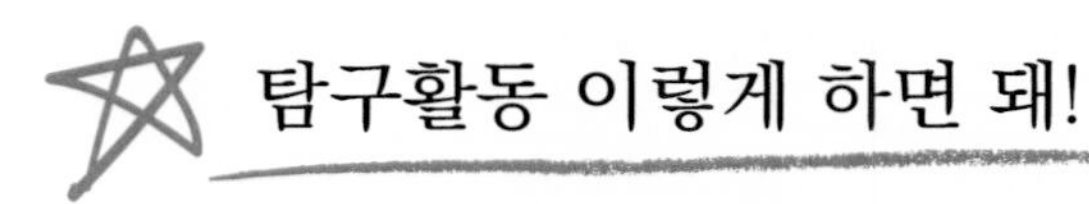

탐구활동 이렇게 하면 돼!

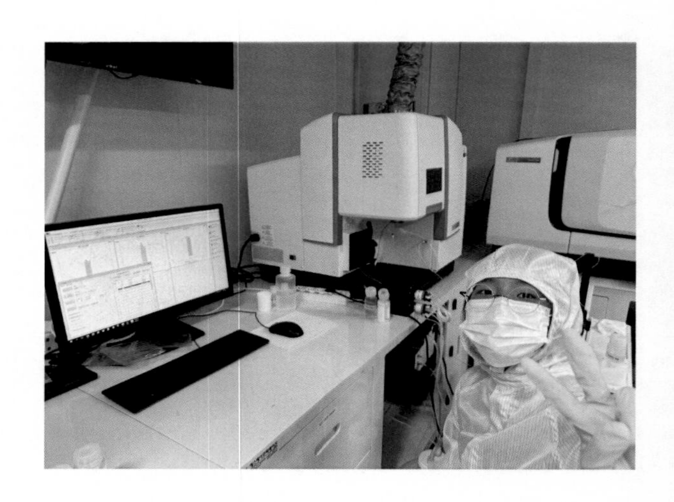

사실 처음에는 탐구활동은 천재들만 할 수 있는 거 아닐까? 라는 생각을 했다. 사실 나는 대단한 천재는 아니다. 그렇지만 어떻게 내가 이렇게 과학적으로 탐구하고 문제를 해결하려는 노력을 하게 되었을까? 아주 쉬운 방법으로 접근했기 때문에 가능했다.
처음부터 무언가 대단한 일을 해 보려고 하면 어렵고 힘들기만 하다. 그렇지만 차근차근 작은 것 부터 하나씩 해 나가다 보면 그 재미를 느낄 수 있고 나의 삶과 다른 사람들의 삶에도 조금이나마 도움이될 수 있다고 생각한다.

우리 아주 쉬운 것 부터 같이 시작해 보자!

① 다양한 정보를 찾아보자!

사실 아는 것이 있어야 궁금한 것도 생긴다. 그래서 부모님께서는 책을 많이 읽어야 한다고 하셨다. 그렇지만, 나는 책을 읽는 것보다는 영상이 좋고, 많은 글자보다는 한 눈에 들어오는 정보가 좋다. 그리고 직접 내가 해 보는 것을 좋아한다.

물론 책읽기를 좋아하는 친구들은 책을 읽는 것이 가장 좋은 방법이다.

그렇다면, 정보를 어떻게 찾아 보면 좋을까?

내가 즐겨 찾아보는 몇 가지 사이트가 있다.

SCIENCE ON

우선 한국과학기술정보원에서 운영하는 사이언스온이라는 사이트 이다. 이곳에 들어가면 우리나라뿐만 아니라 전세계의 과학적 이슈들을 찾아볼 수 있다. 논문부터 재미있는 기사까지 정말 범위가 넓어서 정말 자주 들어가 보는 사이트 이다.

그리고 과학관련행사들을 안내해 주는 한국창의과학재단 홈페이지이다. 이곳에 가면 우리가 참여해 볼 수 있는 다양한 행사들과 대회들도 많아서 관심이 있는 친구들은 학교홈페이지뿐만 아니라 이 곳을 활용하면 더 많은 기회를 얻을 수 있다.

사이언스올
과학문화의 모든 것

또 초등학생들도 접근하기 쉬운 내용으로 정리되어 있는 사이언스올에서는 우리가 평소에 궁금해 하는 과학개념이나 궁금증들을 어린 친구들도 이해하기 쉽게 영상으로 접할 수 있다.

이런 다양한 정보를 접해보는 것이 먼저라고 생각한다. 아이디어들은 배경지식이 없는 상태에서 그냥 나오지 않는다. 평소에도 여러 가지 자료를 접하면서 아이디어들이 떠오를 수 있다.

② 내가 가진 아이디어를 문장으로 메모하자!

머리속에만 있는 아이디어들은 그냥 그대로 흘러갈 수 있다. 그래서 어떤 아이디어가 떠오르면 힘들어도 문장으로 메모해야한다. 문장을 만들면서 내 생각이 정리되고 그 문장이 중요한 단서가 되기도 하고 내가 길을 헤메이게 되면 내가 중심을 잃지 않게 해 주기도한다.

백신과 항바이러스제를 개발하면
감염병 확산을 막고 치료할 수 있을까요?

유전자 변형 식물은 안전한가?

생활 속 미세플라스틱을 쉽게 검출하려면?

폐플라스틱을 저렴한 비용으로 분류하는 방법은?

③ 내가 찾은 주제의 전문적인 지식을 찾아보자!

해당 분야의 전문가와 직접 이야기 할 수 있다면 정말 좋을 것이다. 그렇지만 그런 기회를 갖기 어렵다고 해서 포기하면 안된다.

나는 가장 먼저 신문기사를 검색해 본다. 새로운 발견들은 대부분은 기사화 되기 때문에 관련한 신문기사를 찾아 읽어보고 해당 전문가를 알게 된다. 그리고 나서 그 전문가에 대해서 검색하고 그 사람의 연구를 찾아가다보면 다양한 자료를 찾을 수 있다.

Google 학술검색

구글 학술검색은 주제어를 입력하면 관련한 학술 논문 링크를 제공해줘. 그래서 다양한 학술지의 논문을 볼 수 있어. 영어로 된 논문이 읽고 싶으면 어떻하냐구? 걱정하지마! 바로 번역해서 볼 수 있어.

ScienceDirect

유로 논문들도 있지만 일부는 무료로 제공되니까 필요한 자료를 찾아보는 것도 좋아.

④ 이제는 전문지식을 공부할 시간!

우리가 아무리 많은 자료가 있어도 일단 내가 공부를 해 보지 않으면 그것을 제대로 이해할 수 없어. 그래서 나만의 언어로 정리해 보는 시간이 필요해! 그림을 그려도 되고, 글로 써도 괜찮아. 나는 이 시간이 제일 즐거워! 새로운 것을 알아 간다는 건 무척 신나는 일이거든.

⑤ 탐구주제에 대한 실험계획을 세우자!

실험계획은 과학시간에 모두 배웠을거야. 그 내용과 다르지 않아. 실험설계하는 과정대로 해 보자! 그런데 가끔 귀찮아서 과정을 생략할 때도 있는데, 그건 그렇게 좋은 생각은 아니야! 다시 처음부터 해야할 경우가 많아.

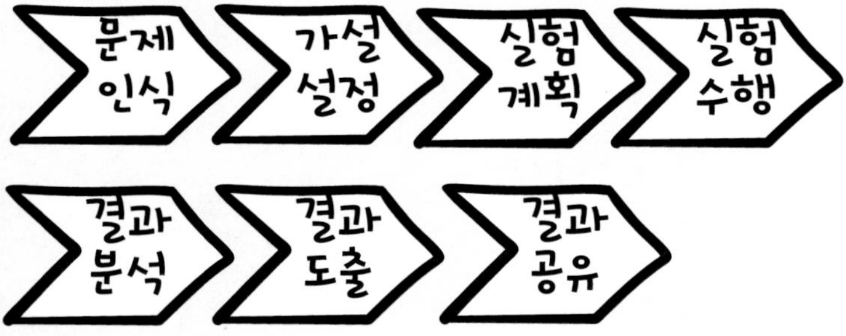

문제 인식 → 가설 설정 → 실험 계획 → 실험 수행 → 결과 분석 → 결과 도출 → 결과 공유

⑥ 실패의 연속!!!

거듭되는 실패를 견뎌낼 수 있어야 해.

내가 미세플라스틱에 관한 실험을 한 적이 있는데, 미세플라스틱을 현미경으로 육안으로 관찰하는 실험이었어. 처음 계획은 한 번 딱 찾으면 볼 수 있을 줄 알았지.

그런데 맞는 상을 찾는데, 3일이나 걸렸어. 금요일 저녁부터 시작해서 주말 내내 현미경과 씨름을 했지. 그래도 처음 발견했을 때의 기쁨의 순간은 지금도 잊을 수 없지!

⑦ 탐구보고서 작성하기

탐구보고서는 사실 처음에 실험을 계획할 때 부터 준비한 양식에 미리 작성하면서 진행하는 것이 좋아.

물론 이것도 한 번에 완성되는 건 아니야.

내 실험데이터를 잘 정리하는 것도 중요하니까, 꼼꼼하게 잘 챙겨보아야 해.

⑧ 다음 질문을 생각하자!

하나의 실험이 끝나고 마무리가 될 때 즈음에 나는 꼭 다음 질문이 떠올라! 세상에 완벽한 실험은 없거든. 다음 번에는 이렇게 했으면 좋겠다. 내가 더 궁금해 진 것은 이런 것이다.

다섯 번째 이야기

평범한 아이의 평범하지 않은 이야기

AI는 나에게 많이 어려운 분야였다. 하지만 AI를 활용한 다양한 기술들이 나오고 있고 과학분야에 관심이 많은 나에게 너무나 많은 정보들이 쏟아지고 있었다. 사실 나는 코딩에 대해서 공부를 많이 해보지 않았다. 학교에서 하는 수업이 대부분이었고, 궁금해서 시작한 프로그램들을 심도있게 공부해 보지는 못했다. 이런 기술들을 익히는 데 앞서서 지금 우리에게 AI가 얼마나 가까이 다가왔는 지 궁금해졌다. 이런 나의 호기심은 인터넷에 있는 정보로는 많이 부족했다.

그래서 청소년 과학대장정 프로그램에 도전을 하게되었고, 감사하게도 나에게 AI에 대해서 알려주실 전문가들을 만날 수 있는 좋은 기회를 가지게 되었다. 3박 4일간의 일정은 내가 AI에 대해서 많은 것을 알게 해 주었다.

또 최근에는 LGAI청소년캠프에 참여할 기회를 얻게 되었는데 나와 관심사가 비슷한 친구들과 만나서 주제를 정하고 관련한 AI를 서울대학교 교수님들과 멘토선생님과 함께 프로토타입까지 만들어 보기로 해서 너무 기대가 된다.

나는 궁금한 점이 있으면 그 내용에 대해서 알아보기 위해서 인터넷을 찾는 일이 많은데, 요즘에는 나처럼 호기심이 많은 학생들을 위한 다양한 프로그램들이 많은 것 같다. 물론 지원서를 작성하고 내가 배우고 싶은 것에 대해서 설명할 수 있는 능력이 있어야 이런 활동에도 참여할 수 있는 기회를 얻을 수 있다.

그리고 내가 살고 있는 울산에서는 청소년들을 위해 다양한 특강 수업을 많이 제공하는 데, 학교에서 공부하기에 다소 어렵거나 심화된 주제들을 다루는 강연들이 많아서 나는 적극적으로 참여하려고 노력하고 있다.

특히 요즘 AI에 대한 학생들의 관심이 높아지니, 관련한 많은 강연과 캠프들이 열리고 있다. 학교에서 수업을 받고 과제를 하고 시험을 치는 틈틈이 참여하고 있는데, 시간이 많이 부족하지만 나에게는 좋은 경험과 기회가 되고 있다.

나의 특별한 이야기 하나

청소년 과학대장정

2024.07~, 한국창의과학재단

처음 과학대장정에 가게 된 것은 학교 홈페이지에 올라와 있던 한 안내장 때문이었다. 안내장의 내용을 보고 내가 해본 적 없는 체험을 할 수 있는 좋은 기회가 아닐까? 하는 생각에 덥석 신청을 하였다. 하지만, 경쟁률이 10대 1이여서 붙을 수 없지 않을까? 라는 생각도 잠깐 했었다. 그래도 못해도 내가 할 수 있는 일은 다양하니까, 된다면 더 열심히 하자 라는 생각을 하며 기다린 결과는 ‘ 합격’ 이였다. 합격이란 소식을 들었을 때 내 생각은 두 가지였다. 하나는 가서 열심히 해야지 이런 기회가 다시 올 수 있을까? 였고 실제로 가서 열심히 하려고 노력했다.

나머지 하나는 이렇게 가족과 멀리 떨어져 본적이 없는데 잘 할 수 있을까? 처음 보는 친구들과는 잘 지낼 수 있을까? 였다. 내가 불안해 하는 모습을 보신 부모님께서 " 넌 뭐든 잘 할 수 있어. 주눅들지마" 하는 말 한마디가 힘이 되어주었다.

과학대장정에서 첫째날에는 한국 과학 기술 연구원에 가서 KIST의 역사에 대한 견학을 하고, 프로그램을 이용하여 만들어진 AI 두가지를 보았다. 하나는 드럼을 치는 로봇이었는데 센서를 통해 드럼에서 쳐야 할 위치를 보고 치는 원리라고 하였다. 두번째는 얼굴 모형으로 레미노트릭스 로봇 레미라고 하였다. 얼굴의 형태로만 되어있어서 더 신기하고 기억에 남는 것 같다. 두가지 기계를 보면서 나도 저런 AI을 만들 수 있을까? 하고 생각했었다. 만약, 만든다면 미세플라스틱과 관련 있게 만들어 보는 게 어떨까? 하고 계속 고민을 하고, 박사님들께 저런 로봇을 만들려면 얼마나 오래 걸리는지에 대해 한 친구가 물어보았다. 대답은 하나를 만드는데 굉장히 오랜 시간이 걸리고 계속 고쳐 나가야 한다고 하셨다. 그렇게 계속 질문을 주고 받다 보니 어느새 일정이 마무리 되어 있었다.

둘째 날에는 총 세 곳을 갔다.

처음에 간 곳은 삼성SDS 에서 AI에 관한 강연을 듣고 사전에 조사한 질문의 대답을 들었다.

그리고 다음으로 이동한 곳은 국립 과천 과학관이었다.

과학관에서는 다양한 내용들을 보았지만 지금까지 내가 기억하고 마음에 들었던 것은 스티브잡스의 " 미래에 무슨 일이 일어날지 정확히 알아맞히기는 불가능 하다. 그러나 어디로 향하고 있는지 느낄 수는 있다. " 라는 말이었다. 나는 계속 미래에 어떤 일이 일어날지에 대해 먼저 생각하고 포기하려 했었다. 하지만 이 말을 듣고 내 생각이 바뀌어야 하지 않을까? 하는 고민을 잠깐 했다. 지금 나는 더 나은 방향으로 나아가고 있을 것이고, 만약 그 길이 틀려도 다시 도전해보자는 생각을 해야겠다고 느꼈다.

세번째로 간 곳은 CJ OLVENETWORKS 였다. 먼저 강연을 들었다. 내용은 인공지능에 관한 것이었다. 기억에 남았던 말은 앞으로의 인공지능은 개인화된 인공지능, 실시간 데이터를 수집하여 최신 정보 반영 사용자의 피드백이 반영되며 보다 데이터 중심의 인공지능이 될 것이라고 하였던 말이 가장 기억에 남았다. 그리고 진행했던 연구를 보여주셨는데 신기했다. 그리고 지하로 내려가서 실제로 데이터가 처리되는 과정을 볼 수 있었다.

마지막 날은 수료식을 하러 카이스트에 갔다. 카이스트는 나에게 꿈의 학교이다. 이 곳에서 나도 연구를 하게 될 날을 꿈꾸고 있다. 정말 가슴이 두근거렸다. 학교 투어를 하고 나니 더욱 카이스트에 가고 싶어졌다. 아직 내 실력이 부족하지만 열심히 하다 보면 갈 수 있겠지?

수료식을 할 때 다시 한번 깜짝 놀랐다. 내가 대표로 수료증을 받게 되었기 때문이다. 너무 훌륭한 친구들도 많았는데 내가 조장이 되고 싶어서 처음에 정할 때 조장을 지원했다. 친구들이 잘 따라 주어서 캠프가 잘 마무리 된 것 같았다.

고등학생이 되면 다시 한 번 이런 캠프를 방문하고 싶다. 나와 관심사가 같은 친구들을 만나서 이야기를 나누는 것은 무척 행복한 일이다.

나는 학교홈페이지에 알려주는 내용을 유심히 보는 편인데, 방학 동안에 청소년 철학캠프를 한다는 소식을 알게되었다. 과학이랑 철학 무슨 상관이야!라고 하는 친구들도 있겠지만, 나는 과학자들에 대해 알아갈 수록 그리고 위대한 과학자들의 이야기를 접할 수 록 그들은 대단한 철학자였다고 생각한다. 사실 고대의 과학자들은 대부분 철학자들이지 않았나?

중학교 1학년 1학기는 자유학기제를 하고 있어서 수업시간에 시험을 위한 공부보다는 친구들과 이야기 하고 생각을 나누는 기회가 많았다. 특히 도덕시간에 행복에 대해서 고민해 보는 시간이 많았는데, 아무리 생각해도 행복에 대한 나의 생각을 정리하기 어려웠다. 내 주변의 소소한 일들로 부터 행복은 시작된다는 것을 깨닫게 되었는데, 이를 좀 더 깊이 있게 생각해 볼 기회가 필요했다.

사실 우리 학교는 도심지와 떨어져 있는 시골학교이다. 함께 생활하는 친구들은 항상 활기차고 운동을 열심히 하는 편이다. 그래서 이런 고민을 나누기에 어려움이 많았다.

철학 캠프에 참여하게 되면 나와 비슷한 고민을 가지고 친구들이 모여서 이야기를 하게 될테니, 나에게는 꼭 필요한 기회라는 생각이 들었다. 선착순으로 신청을 하는 것이라서 부모님께 부탁을 드려 어렵게 신청하게 되었다.

과학대장정을 마치고 바로 가게 되는 스케줄이라서 부모님께서는 반대하셨지만, 그래도 내 궁금증을 꼭 해결하고 싶은 마음에 참여하게 되었다.

나의 특별한 이야기 둘

청소년 철학캠프

2024.07.31~8.12, 울산교육연구원

청소년 철학캠프를 처음 신청할 때, 나는 사람들을 행복하게 하는 과학자라는 꿈을 가지고 있었다. 나는 ' 철학 ' 이라는 학문이 사람들을 위해 생각할 때 도움이 되지 않을까? 하는 생각에 철학캠프에 신청하였다.

오리엔테이션 처음에는 철학에 대학 간단한 강의를 안 광복 선생님께서 해주셨다. 가장 기억에 남았던 말은 " 살아지는 데로 살지 말고, 살아져야 하는데로 살아야한다. "이었다. 이 말을 들으면서 내가 여태 살면서 어떻게 살고 있었는지에 대해 생각해 보았다. 나는 지금 살아지는 데로 사는 걸까? 그럼 이제부터 바꾸어 볼까? 내가 바꿀 수 있을까? 등 나에게 계속 질문을 던졌다.

계속 나에게 질문을 던지게 되니 질문에 대학 대답을 생각해보고 대답을 찾았을 때의 기분이 좋았다. 그래서 나는 철학이란 과목에 더 관심을 가지게 되었다.

캠프의 첫째날 처음으로 토론을 준비하면서 나는 내가 이렇게 열심히 질문을 만들 수 있는 지 몰랐다. 질문을 만드면서 계속 고민하고, 또 수정하였다. 그렇게 나의 질문이 완성되고, 친구들과 질문을 공유할 때 나는 다시 한 번 생각했다 여기 오는 것을 정말 잘 한 것 같다고. 내질문은 " 청소년들이 스스로 옳고 그름을 판단할 수 있지 않을까? " 이었고, 가장 기억에 남는 질문은 " 어른들이라고 해서 스스로 서있는 것인가? " 이지만, 토론을 한 질문은 " 청소년이란 이유만으로 어른들에게 규제받는 것이 정당한가? "였다.

나는 이 질문에 대해서 어른들의 기준에서는 보호일 수도 있지만, 청소년들이 느끼기에 부당한 규제로 느낀다면 그것은 규제이고, 모든 것을 규제하기 보단 청소년으로써 하지 말아야 하는 행동은 규제하나 청소년들이 스스로 생각하여 하지 않을 수 있는 행동은 규제하지 않았으면 좋겠다고 생각했다.

반대의 의견들은 청소년들이 스스로 일어서지 못해서 규제가 있는 것 이므로 규제는 있어야한다고 했다. 계속 이야기 하다 보니 내 의견과 반대 의견이 더 맞은 것 같기도 했다. 철학 토론은 결론이 바로 나오지 않고 계속 이야기하고, 원래 자신의 의견을 다른 의견으로 바꾸어도 된다는 것이 좋았다.

고 생

그리고 이 토론들 중에서 내 기억에 가장 남았던 질문은 “ 선거, 투표같은 의견을 표출해야하는 상황에서 중립, 기권 등의 사유로 참여하지 않는 것이 나쁜 것일까? ” 였다. 내 생각은 기권과 중립의 개인의 생각의 자유이고 자신이 원하지 않다면 상관 없지 않을까라고 생각 했다. 여기서 다른 의견들 중 투표는 주권을 가진 국민들이 해야하는 일이므로 투표를 하지 않는다는 것을 주권을 포기한다는 것으로 국민이 국가의 주인이 아닌것이 된다. 라는 말이 인상깊었기 때문이다. 이야기를 할 수록 주제가 주권으로 넘어가서 약간 아쉬웠긴 했지만 그래도 나는 이 의견이 제일 인상 깊었다.

질문들의 대답을 찾아가는 과정에서 학교에서 생각하지 못했던 것들을 생각할 수 있고 의견을 나누며 몰랐던 사실도 알아가고 친구들과 토론하며 수업하는 일이 좋았다. 하지만 그만큼 생각할 기회가 없었어서 생각하는 것이 약간 어려웠다. 평소에 학교에서 이렇게 토론하며 수업하면 어떨까? 하는 생각도 자연스레 들었다. 학교에서도 이렇게 수업한다면 청소년의 생각하는 능력도 늘어서 좋을 것 같다.

마지막날에 할 연극을 준비하면서 친구들과 의견이 맞지 않은 점도 있어서 힘들었지만, 그래도 친구들과 함께 의견을 조정하여 연극의 주제를 만들었다. 우리 조의 연극의 주제는 “ 거짓된 승리가 맞는 것일까? ” 였다.

주제를 정하고 연극을 연습하면서 부족한 부분이 있으면 채우고, 서로 알려주며 이야기하고 초가해야할 부분을 이야기하는 것이 좋았고 즐거웠다. 처음에는 서로 모르는 사람이었지만 같이 활동을 진행하다 보니 친해지고, 각자의 의견을 더 잘 이야기해가는 것이 인상깊었다. 하지만 연습이 약간 부족하여 원하던 연극의 결과는 만들지 못하여 아쉬웠다.

이번 철학 캠프를 통해서 나는 내가 원하는 꿈을 위해서 나 자신에게 질문하고 그 대답을 찾아나아가고, 나의 정의가 무엇인지를 찾아나아가며 성장해 나아가고 싶다. 그래서 미래 나의 목표를 위한 발걸음을 계속 내딛을 것 이다.

질문있는 수업 | 2024 청소년 철학캠프

조회수 327회 6일 전 **더보기**

청소년환경미디어 서포터즈

2023.08.10~10.20, 시청자미디어센터

처음 시작할 때는 영상편집에 대해 아는 정보도 없고, 힘들 것 같다는 생각이 먼저 들어서 하지 말까 고민도 했지만, 다시 안 올 기회라는 생각에 도전을 해보기로 했다. 처음 시작할때는 뭐가 뭔지 햇갈리는 일이 더 많았지만, 스스로 스토리보드도 구상해보고 영상을 찍고 편집해보면서 잘 하진 않더라도 할 수 있게 되었다. 수업을 진행하고나서 각자 환경을 위한 활동 브이로그를 3개월 정도 찍어서 영상을 완성하라는 미션이 주어졌다. 브이로그를 찍어야 한다는 말에 어떤 느낌으로 찍어야 할지는 감이 왔는데 어떤 활동으로 찍어야 할지 감이 오지 않았다. 그렇게 한참을 고민하고 있으니까 엄마께서 한 번 내가 생각하는 환경을 위한 활동들을 써보라고 하셨다.

처음에는 그렇게 생각이 안나더니 하나하나 떠오르는 활동을 쓰다 보니 어느새 많은 활동들이 쓰여졌다. 지금은 이게 브레인 라이팅이라는 방법인걸 알지만 그때는 아직 잘 모르던 때여서 더 신기했었던 것 같기도 하다.

그렇게 영상에 들어간 활동들은 줍깅, 용기내 챌린지, 친환경 소비로 정해졌다. 제일 먼저 친환경 소비에 대한 영상을 찍으러 경주에 있는 친환경 제품을 파는 가게로 향했다. 가게에 처음 들어갔을 때 정말 다양한 제품이 있었다. 그중에 제일 신기했던건 다 비운 음료 페트병을 들고가면 거기에 친황경 세제를 담아주는 것이었다. 그리고 그 다음으로는 용기내 챌린지를 찍었다. 동네에서 자주가는 샐러드 가게에 그릇을 들고 찾아가 "혹시 여기 넣어주실 수 있나요? " 라고 물으니 웃으시며 그릇에 샐러드를 담고 건내주시며 조금더 넣었다는 말씀에 다 같이 웃었었다. 그렇게 포장한 샐러든 맛있게 먹었다. 그리고 마지막으로 줍깅하는 모습을 찍었다. 마을을 돌아다니며 쓰레기를 줍는데 너무 많아서 놀랐었다. 처음에는 산책이나 살짝 하면서 조금씩 주우려 했는데 은근 많은 쓰레기에 놀랐었다. 그렇게 마을 저수지까지 내려갔는데, 영상이 날아가버렸다! 다음부터는 재대로 확인하면서 영상을 찍어야겠다는 다짐과 함께 영상 편집을 시작했다.

영상편집을 하면서 어려운 부분도 있었지만, 그래도 열심히 편집하고 수정했다.

그리고 중간 확인 할때 영상을 들고가 보여드리니 잘했다고 해주시면서 아쉬웠던 부분을 말씀해주셔서 그 부분은 바로 수정하였다.

그렇게 완성된 영상은 지금 봤을땐 아쉬운 부분도 있었지만, 그때 열심히 준비했던걸 생각하면 뿌듯해지는 것도 있다.

그렇게 재출을 하고 결과를 발표하게 되었을때 나는 상은 받지 못했지만, 이 활동을 통해 또 한번 성장할 기회가 되었다는 생각을 하면서, 그때 사용했던 생각 방법, 노력들을 생각하면서 지금도 다양한 활동에 이용하고 있다.

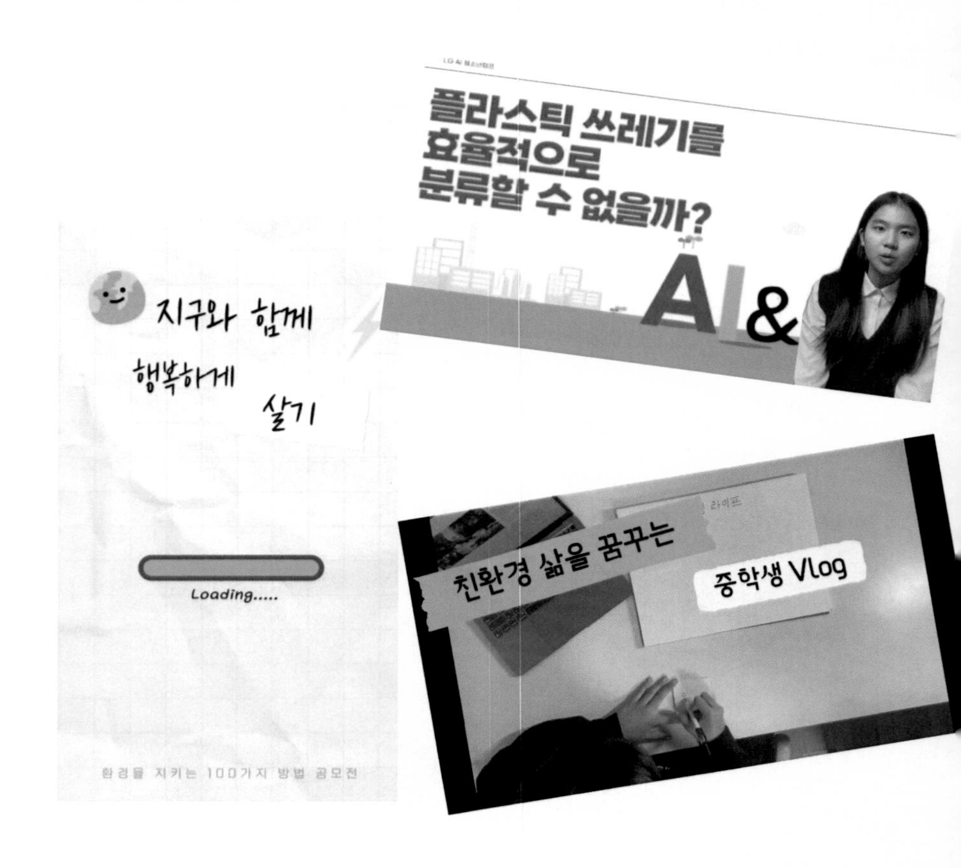

나의 특별한 이야기 넷

수학대중화강연

2024.10.12, 울산과학관

'수학 대중화 강연'은 수학이라는 학문이 우리 일상과 어떻게 연결되고, 깊이 있는 수학적 사고를 하려면 무엇이 필요한지 전문가를 초빙해 운영하는 특강이었다.

이번 4차 강연회는 울산과학기술원(유니스트) 산업공학과 권상진 교수님께서 '울산 폭염대피시설 어디에?…수학이 답하다'를 주제로 진행되었다.

교수님께서는 수학이 일상생활에서 어떻게 적용되는지를 소개하고, 학생들이 폭염과 같은 사회적 문제를 수학적 접근으로 해결하는 능력을 키우는 실질적인 방안을 제시해 주셨다.

'수학적 모델링을 통해 폭염대피시설을 어디에 설치해야 하는 지에 대한 논리적인 판단을 하는 과정을 직접 보여주셨다.

우리가 어떤 문제를 해결할 때, 과학적인 근거를 가지고 해결해야 한다는 것을 막연하게 알고 있었는데, 통계 분석을 통해 근거를 찾고 확인해 가는 과정이 무척 흥미로웠다.

그리고 산업공학에 대해서 자세한 설명을 해주셨는데, 산업공학(Industrial Engineering, IE)은 인간, 기술, 자원 및 시스템을 설계, 개선 및 운영하기 위한 공학의 한 분야이며, 효율성과 이익을 극대화하고, 비용 절감과 낭비를 줄이는 것을 목표로 삼는 다는 것을 알게 되었다. 전통적으로 건축과 관련이 있지만, 현재는 서비스업, IT, 물류, 의료, 금융, 공공 기관 등 다양하게 이용된다고 하셨다. 항상 수학 공부를 하다보면 굳이 이렇게 오랜 시간 수학을 공부해야할까? 에 대한 궁금증이 많았는데, 수학이 왜 모든 분야에서 근본이 되는 학문인지에 대해서 다시 한 번 깨닫는 계기가 되었다.

그리고 수학적 사고는 계속된 연습을 통해 습득이 되고 그런 과정에서 논리를 배워나가는 것이라는 것을 알게 되었다.

최근 '미적분의 쓸모'라는 책을 읽고 있는데, 세상의 변화를 설명하는 언어라고 서술하고 있다. 인공지능을 운용할 때도 최적화의 과정을 찾아가는 것이 가장 큰 열쇠인데, 이런 학문을 문제 풀이에만 매달리지 않고 그 근본을 찾아가는 공부를 해야겠다는 생각이 들었다.

우리 학교는 대만의 평시중학교와 자매결연을 맺어 매년 서로의 학교를 방문하는 국제교류프로그램을 진행한다. 그래서 일부 학생들만 대만 평시중학교를 방문하는 기회를 갖게 된다.

나는 다른 지역에서 우리 중학교에 진학을 하였기 때문에 학교에 아는 사람이 거의 없었다. 그래서 리더십을 발휘하기 위해 학생자치회에 참여할 기회가 많이 없었다.

그렇지만 나 나름대로 나의 장점이 많다고 생각해서 국제교류프로그램에 신청하게 되었다. 특히 프로그램 신청 자격 점수가 대부분 학생회 임원, 교내 대회 수상실적 등이어서 용기를 내기 힘들었지만, 나에 대해서 어필해 볼 수 있는 기회라고 생각해서 지원서를 작성하게 되었다. 그리고 그 지원서가 잘 어필이 되었는 지 당당하게 프로그램에 합격하게 되었다.

그리고 그 과정에서 나는 나에 대해서 많이 생각하게 되었고 더 많이 성장할 수 있었다. 감사하게도 담당선생님께서 나에게 우리 학교를 대표해서 학교소개 발표를 할 수 있는 기회를 주셔서 지금도 너무 감사하다.

사실 이 발표를 준비하느라, 너무 집중해서 막상 대만평시중학교에 가고 주변 관광을 할 때 마음 편히 못 즐긴 부분이 아쉽기도 하다. 그리고 함께 간 친구들과 더 많이 친해졌으면 했는데, 그렇지 못한 부분이 있어서 후회되기도 했다. 다음 번에도 이렇게 친구들과 함께할 기회가 생긴다면 더 적극적으로 내가 먼저 다가가서 재미있는 시간을 보내고 싶다.

나의 특별한 이야기 다섯

대만 국제교류 프로그램

2024.10.14~, 대만

1. 문화교류 활동(버디 활동, 준비 과정, 환영 행사, 한국 문화 소개 활동, 환송식 등)을 통해 경험하고 느낀 점은?

우연히 대만에서 온 친구의 버디 활동을 맡게 되었습니다. 특히 제가 맡았던 제레미에게 우리나라와 우리 학교를 잘 알려주기 위해 여러 가지를 고민하고 준비했던 과정은 나중에 제가 대만을 방문할 때 큰 도움이 되었습니다. 대만에 대해 잘 몰랐던 부분이 많았지만, 제레미와 자연스럽게 대화하기 위해 미리 공부를 많이 했습니다. 친구들이 대만으로 돌아간 뒤에도 우리는 SNS를 통해 그날의 추억을 되새기고, 서로의 일상을 궁금해하며 이야기를 나누면서, 새로운 친구가 생겼다는 기쁨을 느꼈습니다. 이렇게 친해진 제레미는 제가 대만을 방문할 때 많은 정보를 주었고, 학교를 방문하는 날에는 고등학교에 진학했음에도 불구하고 학교로 찾아와 응원해 주고, 편지를 전해주어 깊은 감동을 받았습니다.

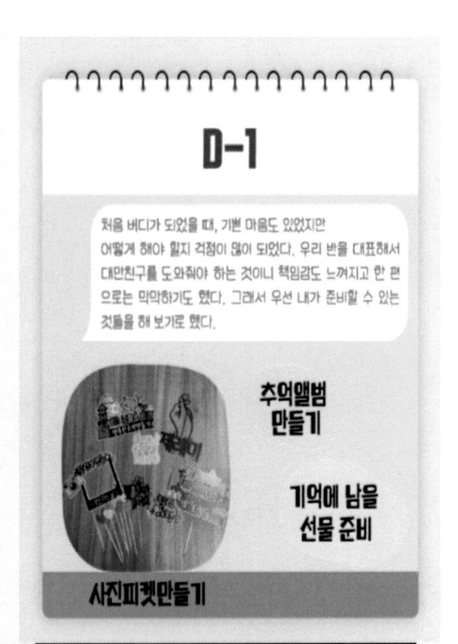

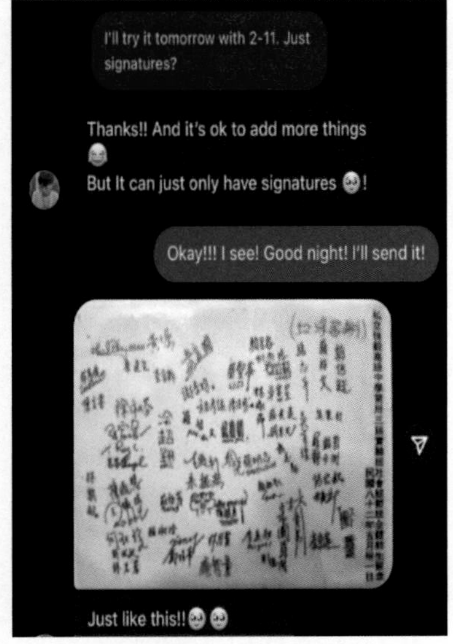

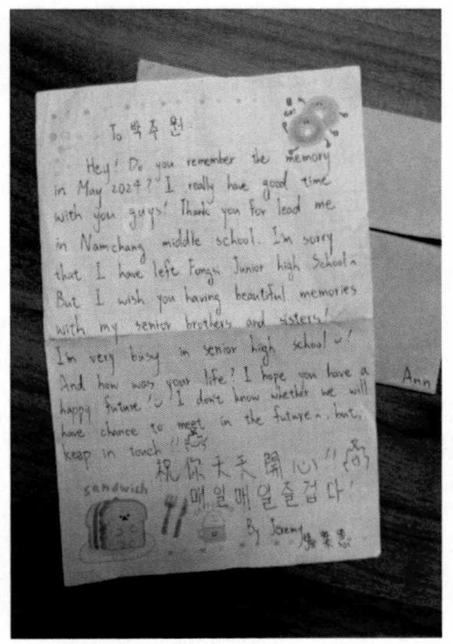
To 박주원

Hey! Do you remember the memory in May 2024? I really have good time with you guys! Thank you for lead me in Namchang middle school. I'm sorry that I have left Fongu Junior high School. But I wish you having beautiful memories with my senior brothers and sisters! I'm very busy in senior high school! And how was your life? I hope you have a happy future! I don't know whether we will have chance to meet in the future, but, keep in touch!!

祝你天天開心!!

매일매일즐겁다!

sandwich

By Jeremy

친구를 위해 선물을 준비하고 친구와 SNS와 직접만나서 그리고 편지로 이야기를 나누었던 추억들!

2. Prorogue_문화교류 준비 과정은?

▶ 나도 할 수 있을까?

처음 학교에서 국제교류 대상 학생을 선발한다고 했을 때, 나와는 상관없는 먼 이야기라고 생각했습니다. 학교 활동이나 행사에 적극적으로 참여하는 친구들에게 주어질 기회라고 여겼습니다. 그런데 우연히 대만에서 온 친구들의 버디 활동을 맡게 되었고, 그 친구들이 학교를 방문하는 모습을 보니 점점 욕심이 나기 시작했습니다. 부모님께 말씀드리니, 아마 될 가능성은 낮겠지만 도전하는 과정이 의미 있을 거라며 응원해 주셨습니다.

서류를 준비하는 동안 '아, 안 되겠지', '좀 더 열심히 할 걸' 하는 생각이 여러 번 들었습니다. 그래서 더욱 간절히 바랐는지도 모릅니다. 합격 발표가 있던 날, 내 이름이 불리는 순간의 감동은 지금도 생생합니다. '내가 진짜 뽑혔다고?' 너무 기뻐 소리를 지르고 싶은 마음을 꾹 참았던 기억이 아직도 잊히지 않습니다.

▶ 정말 잘하고 싶다!

학교에서 선생님들께서 대만 방문 계획을 알려주시면서, 저에게 학교 소개 발표를 해보는 것이 어떻겠냐고 제안해 주셨습니다. 다른 나라 사람들 앞에서 발표하는 제 모습을 상상하니 그때부터 긴장감이 몰려왔습니다. 중간고사가 끝난 후, 시험 공부할 때보다 더 열심히 발표 준비를 했던 것 같습니다.

'이렇게 공부했으면…' 하는 생각이 들 정도였습니다. 함께 발표하기로 한 친구와 줌으로 만나기도 하고 메시지를 주고받으며 발표 내용을 정리했습니다.

처음에는 내용이 뒤죽박죽이고 분량도 많았지만, 친구와 의논하면서 점차 깔끔하게 정리할 수 있었습니다. 발표 준비를 하면서 학교의 역사와 비전, 그리고 학교의 주요 활동들을 소개하는 부분에서 많은 고민을 했습니다. 특히, 학교의 역사를 간략하고 쉽게 전달하면서도 중요한 포인트를 놓치지 않으려는 노력이 필요했습니다. 비전 부분에서는 우리 학교가 앞으로 나아갈 방향을 어떻게 잘 설명할 수 있을까 고민이 많았습니다. 또, PPT 자료를 만들 때는 시각적으로도 너무 복잡하지 않도록 신경을 써야 했기 때문에 자료를 어떻게 배치할지에 대한 고민이 깊었습니다.

선생님들께서도 발표 내용을 검토하시며 많은 피드백을 주셔서 자신감을 갖고 발표 준비를 마무리할 수 있었습니다. 한국어로 연습하는 과정도 쉽지 않았는데, 중국어로 발표를 준비하는 친구는 얼마나 더 힘들었을까 생각하게 되었습니다.

마지막 날까지 열심히 연습했던 그 시간이 제게 가장 의미 있는 시간이었습니다. 학교를 대표해서 준비한 발표였기에 정말 잘 해내고 싶었고, 최선을 다해 준비한 그 과정이 저에게 큰 의미로 남았습니다.

발표 대본

장면 번호	지시문, 대사	화면
#1	- (박주원, 정하윤 발표대 앞으로 간다) (발표 전에는 1번 화면 켜두기) - 인사하기 (2번 화면으로 해두기) 박&정. (한국어로) 안녕하세요.	NamChang Middle School 남창중학교

남창중-평시중 국제교류 발표 계획서

주제	우리 학교를 소개합니다.

▶ So Cool한 대한민국 알리기

발표를 준비하면서 대만에서 만날 친구들 생각에 무척 설렜습니다. '어떻게 하면 우리의 멋진 대한민국을 더 잘 알릴 수 있을까?'라는 고민도 자연스럽게 따라왔어요. 그래서 처음에는 AI 도우미인 챗GPT에게 물어보기로 했습니다. 챗GPT에게 질문을 던지면서, 친구들이 이해하기 쉽게 한국의 전통과 문화를 소개할 방법을 찾기 시작했습니다.

ChatGPT의 말:

대만 중학생 친구에게 한국을 알릴만한 기념품으로는 한국의 문화와 전통을 잘 담고 있으면서도 실용적인 아이템들이 좋습니다. 다음은 추천할 만한 기념품들입니다.

한류 관련 상품: K-팝이나 한국 드라마를 좋아하는 친구라면, 좋아하는 아이돌 그룹의 앨범, 굿즈(포스터, 사진, 키링 등)를 선물하면 기뻐할 것입니다.

한복 인형 또는 소형 한복 세트: 한국 전통 의상인 한복을 입은 인형이나 한복 미니어처는 한국 전통문화를 알리기 좋은 기념품입니다.

전통 문양이 들어간 문구류: 한국 전통 문양이나 그림이 새겨진 노트, 필통, 볼펜 등의 문구류는 실용적이면서도 한국의 전통미를 느낄 수 있는 선물입니다.

한국 전통 차 세트: 한국의 다양한 전통차(예: 유자차, 녹차, 오미자차 등)와 함께 다식(한과류)을 선물하면 한국의 식문화를 알릴 수 있습니다.

한국 전통 부채(선풍): 한국 전통 부채는 실용적이고 아름다워 기념품으로 적합합니다. 다양한 디자인의 부채 중 친구가 좋아할 만한 것을 선택할 수 있습니다.

호미: 농업 문화와 관련된 작은 한국 전통 농기구인 호미는 독특한 선물이 될 수 있습니다. 대만에서 흔하지 않기 때문에 특별한 의미를 전달할 수 있습니다.

캐릭터 상품: 한국의 인기 캐릭터(예: 카카오프렌즈, 라인프렌즈) 관련 제품들도 중학생들에게 인기 있는 선물입니다.

이런 기념품들은 한국 문화를 자연스럽게 알릴 수 있는 좋은 방법이 될 것입니다.

이렇게 다양한 선물 목록을 준비하면서 "내가 할 수 있는 것이 무엇일까?"를 고민했습니다. 가족과 함께 쇼핑을 하며 평소 잘 들르지 않았던 한국 전통 물건들을 구경하고 찾아보기도 했습니다. 이것저것 사려고 하다 보니 부모님께서 "여행 가방에 담아가려면 부피를 고려해야 한다"고 조언해 주셨습니다. 양을 얼마나 준비해야 할지 막막했지만, 다행히 제레미에게 DM을 보내 도움을 요청했습니다. 제레미는 대략 30명의 친구들이 있을 거라고 알려 주며, 나를 위해 선물을 준비할 친구들도 많으니 걱정하지 말라고 해 주어 마음이 한결 가벼워졌습니다. 그래서 친구들이 좋아할 만한 것들을 하나씩 찾아보기 시작했습니다.

첫 번째로는 '김'을 골랐습니다. 대만 친구들이 김을 좋아하기도 하고, 제가 사는 지역이 바다와 가까워 한국적인 느낌을 전할 수 있는 좋은 선물이라 생각했습니다. 엄마와 함께 마트에서 수십 가지의 김을 고르던 중, 플라스틱 쓰레기를 줄일 수 있고 부피가 작은 포장으로 선택했습니다.

두 번째는 '비쵸비'였습니다. 요즘 외국인들에게 인기가 많다는 소식을 듣고 찾던 중, 전통 의상을 입은 캐릭터가 들어 있는 한정판 포장을 발견했어요. "이거다!" 싶어서 바로 준비했습니다.

세 번째는 '허니 버터 아몬드'를 선택했습니다. 한국을 대표하는 특산품처럼 알려진 아몬드도 작은 사이즈로 준비했습니다.

마지막으로, 특별한 것을 찾고 싶던 차에 한글 책갈피를 발견했습니다. 발음이 영어로 적혀 있고 한글의 의미도 설명되어 있어, 한국 문화를 전하기에 딱 좋은 선물이라는 생각이 들었습니다.

모든 선물에는 준비과정에서 선생님들께서 명함만드는 아이디어를 주셨었는데 그 부분이 떠올라서 제 인스타그램 아이디를 적은 명함도 함께 붙여 두어, 친구들이 이후에도 연락할 수 있도록 했습니다.

3. 대만에서의 활동들은 어땠나요?_환영식_국제교류_환송식

떨리는 마음으로 평시중학교를 방문했을 때, 많은 친구들이 환영해 주었습니다. 방명록도 쓰고 버디 친구들과 만나는 시간을 가졌는데, 그때만 해도 너무 긴장해서 힘들었습니다. 그런데 행사장으로 들어가니 제레미가 와 있었습니다. 간단하게 인사도 나누고 선물도 주며 시간을 보냈습니다. 평시중학교 친구들과 우리 학교 친구들이 준비한 여러 공연을 진행하는 동안 저는 발표 때문에 긴장해서 제대로 즐기지 못했습니다.

특히 친구들이 한국어를 잘 모를 텐데 한국어로 이야기해야 한다는 것이 조금 두려웠습니다. "영어로 준비할 걸 그랬나?" 하는 고민도 잠깐 들었지만, 발표가 시작되면서 친구가 중국어로 제 이야기를 전달해 주는 형식으로 진행되었습니다. 두 언어가 동시에 진행되면서 친구들도 점점 더 편안해하고 즐거워하는 모습이 보였다. 발표가 끝날 무렵에는 서로 다른 언어를 사용하면서도 하나로 소통하는 기분이 들어 정말 즐거운 경험이었다. 퀴즈 타임 때는 예상과 달리 친구들이 소극적으로 참여하여 조금 속상했지만, 즉흥적으로 한국어로 말해보도록 유도하면서 분위기를 끌어올릴 수 있었습니다. "여러분, 이제 한국어로 한마디 해볼까요?"라며 친구들에게 질문을 던졌고, 몇 명은 조금 어색해 하면서도 한국어로 답해보려고 노력했습니다. 그 덕분에 분위기가 한층 밝아졌고, 참여한 친구들 덕분에 호응도 더 좋아졌습니다.

퀴즈 후에는 한글이 쓰인 책갈피를 나누어 주며 우리 학교 소개와 함께 한글을 알릴 수 있는 기회도 만들어서 정말 기뻤습니다. 나중에 친구들로부터 발표가 훌륭하고 감동적이었다는 이야기를 들으니, 그 동안의 노력이 헛되지 않았다는 생각이 많이 들었습니다.

▶ 한국 문화 홍보 활동

하루 동안 함께 지낼 친구들을 만나 제일 먼저 한 일은 제가 준비한 선물을 나눠주는 것이었습니다. 선물을 나누며 선물에 담긴 이야기를 들려주고 친구들이 좋아해 줬으면 좋겠다고 말했습니다. 예상과 달리 바로 선물을 풀어보는 친구들은 많지 않았지만, 오히려 평시중학교를 떠난 후에 친구들과 선물에 대해 더 많이 이야기할 기회가 생겼습니다.

친구들이 연락을 주어 너무 귀엽고 고마운 선물이라며 감사의 인사를 전해주었고, 한글이 신기하다는 반응을 보이는 친구들도 많았습니다. 한 친구는 한국어를 공부하고 있어서 더 특별한 의미로 느껴졌다고 합니다.

쉬는 시간에 버디 친구에게 학교에서 준비해 주신 전통 놀이 선물(윷놀이, 제기차기 등)을 주었을 때, 처음에는 큰 관심을 보이지 않아서 아쉬움이 남았습니다. 그때 저는 '조금 더 적극적으로 설명을 해주었으면 좋았겠다'는 생각이 들었습니다. 하지만 시간이 지나면서 그 전통 놀이가 친구들에게 새로운 경험이 될 수 있겠다는 생각이 들었습니다. 다행히도 한국에 돌아온 후 친구가 놀이 방법에 대해 물어보면서 다시 관심을 보였고, 저는 온라인으로 그 방법을 자세히 설명해 주었습니다.

미리 만들어 둔 설명서를 보내주니, 친구는 "꼭 해 보겠다!"는 이야기를 전해주어 기분이 정말 좋았습니다. 이 경험을 통해 한국 전통 놀이를 소개하는 것이 단순한 문화 교류 이상의 의미가 있다는 것을 깨달았습니다.

전통 놀이를 통해 우리가 가진 문화를 다른 나라 친구들에게 전달하고, 그들이 그것에 대해 관심을 가지며 즐기는 모습은 정말 특별한 경험이었습니다. 또한, 이 과정을 통해 국제 교류의 진정한 의미를 느낄 수 있었고, 문화의 차이를 넘어서 서로 다른 배경을 가진 친구들과의 소통이 얼마나 중요한지 다시 한번 느끼게 되었습니다.

▶ 환송식

헤어짐의 순간은 언제나 아쉬움이 남기 마련입니다. 버스에 오르자마자 긴장이 풀리면서 하루 동안 했던 일이 마치 꿈만 같았고, 머릿속에는 아쉬움이 가득했습니다. "시간이 조금 더 있었더라면", "내가 조금 더 적극적으로 친구들과 이야기를 나눴더라면" 하는 생각들이 계속 떠올랐습니다. 그렇게 아쉬움 속에서 평시중학교에서의 일정을 마무리하게 되었지만, 그곳에서 만난 친구들의 따뜻한 마음은 잊을 수 없는 소중한 기억으로 남았습니다.

4 내가 느낀 점은?

다른 나라에서 나와 같은 또래의 친구들이 어떻게 생활하고 있는지를 직접 경험하는 일은, 유학이 아닌 이상 흔치 않은 경험입니다. 특히 이번 문화교류처럼 현지 학교의 교실에 들어가 함께 수업을 듣는 것은 개인이 준비해서 하기에는 쉽지 않은 일이라는 생각이 듭니다. 그래서 이번에 학교를 통해 이런 활동을 할 수 있었던 것이 정말 큰 기회였다고 느꼈습니다.

단순히 하루를 보내는 것에 그치지 않고 우리나라 문화를 알리기 위해 약 한 달 동안 준비하는 시간을 가졌는데, 그 과정은 저에게 우리 문화에 대해 더 깊이 생각해 볼 수 있는 매우 의미 있는 시간이었습니다. 만약 나중에 유학을 가거나 다른 나라에서 일하게 된다면 이번 문화 교류에서 얻은 경험을 잊지 못할 것입니다.

교류기간 동안 피곤할 때도 있었지만, 선생님께서 "하루의 생생한 기억을 기록으로 남기는 것이 좋다"고 조언해 주셔서 그날그날의 느낌과 생각을 짧게나마 기록했습니다. 한국에 돌아와 내가 쓴 글들을 다시 읽어보니, 엉성한 부분도 있지만, 하루하루의 생생한 기록이 그대로 남아 있어 지금 이 보고서를 작성하면서도 당시의 기억이 생생하게 되살아납니다. 그 경험을 통해 기록의 중요성을 다시 한번 깨닫게 되었고, 앞으로도 이런 활동을 하게 된다면 스스로 기록하는 습관을 가지기로 다짐했습니다.

이번 경험을 오래 간직하고 싶은 마음에, '다음을 기대해'라는 제목으로 간단한 e-book을 만들어 나만의 이야기를 보관하고자 합니다.

다음을
기대해

2024.10.23-26
대만평시중방문기

남창중학교 2학년 박주원

1st DAY_첫 페이지

남창중-김해공항-가오슝공항-불광사-애하강-숙소

드디어 출발!

설렘가득한 시작!

길카 잃어버린 아침식사

맛있었던 기내식

두근두근 비행

국제교류에 처음 당선되었다는 이야기를 들은 게 어제 같은데 벌써 대만에 와있다. 오늘 아침 새벽부터 대만에 올 준비를 하던 기분이 아직도 기억난다. 가족이랑 떨어져서 여행을 온 게 처음…은 아니지만, 해외로 오는 건 처음이라 준비하는 데 계속 마음이 졸였다. 그리고, 학교에 도착하고 친구들과 만나서 버스를 타고 공항에 도착했는데 왜 그렇게 떨리던지.. 근데 너무 떨려서 다음에 일어날 일을 예상하지 못했다… 입국 심사를 하고 출국장으로 나갔는데 어머니 카드를.. 아침 먹을 때 두고 와버렸다. 얼마나 마음이 졸이던지… 엄마한테 잘한다고 이야기하고 왔는데 첫날부터 실수를 해버리고 말았다. 눈에 눈물이 맺혔지만 울지는 않았다…(마음속으로는 이미 울고 있긴 했지만,,)

학교에서 준비해 주신 기내식을 먹으면서 마음을 달래었다. 그렇게 드디어 가오슝에 도착하였다.

st DAY_첫 페이지

창중-김해공항-가오슝공항-**불광사-애하강-숙소**

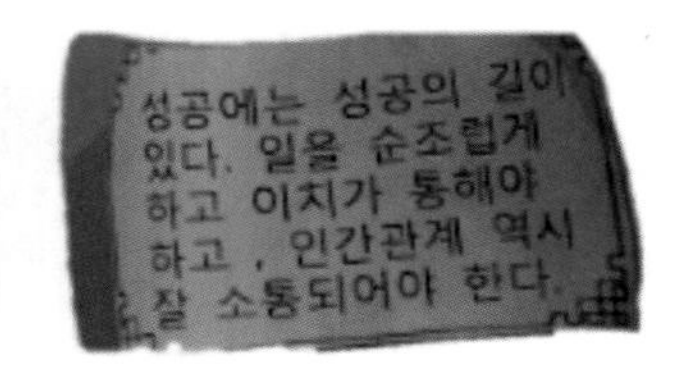

대만에서 만난 나의 운세

불교의 세계로 GO! GO!

규모에 놀란 불상

우리가 첫번째로 간 곳은 불광사였다. 가이드 분들의 설명을 들으며 구경하는데 세계의 다양한 불교의 내용이 한 곳에 있다는 이야기가 가장 신기했다. 산 전체가 사찰로 이루어져 있다는 사실에 조금 놀라기도 했다. 중국문화권의 규모가 실감나는 순간이었다. 그래도 섬세하고 아름다운 사찰의 모습은 우리 나라가 더 좋았던 것 같다.

그리고 운세를 보는데 "성공에는 성공의 길이 있다. 일을 순조롭게 하고 이치가 통해야 하고, 인간관계 역시 잘 소통 된다 " 라고 나왔다.

왠지 내 현재 모습의 이야기 인 것 같아서 더 마음이 갔다.

.

1st DAY_첫 페이지

남창중–김해공항–가오슝공항–**불광사–애화강–숙소**

애화강에서 한 컷!

이동하는 버스 안

아름다운 색깔에 반해버린 애화강

그리고 애화강에 유람선을 타러 갔다. 애화강은 옛날에 인애화강 이라 불렸는데, 어떤 연인이 강에서 투신자살을 한 이후로 애화강으로 알려져서 애화강이라 불리게 되었다는 이야기를 듣고 안타까우면서도 아름다운 이야기인 것 같았다 식사를 하러 가서 식사를 하는데 입맛에 맞는 음식도 있었지만, 약간 샴푸맛(?) 이 나는 디저트는 참,..., 아직도 기억에 남는다...
오늘 하루 종일 다니면서 중간중간 인사도 중국어로 해보고, 대만과 우리나라의 공통점도 알아봐서 너무너무 재미있었고, 즐거운 하루였다!
처음에 국제교류를 신청할 때 안되겠지...하고 신청했지만, 이렇게 되어서 친구들과 함께 다니면서 많은 사진도 찍고, 그래서 너무 재미있었다.

2nd DAY_두번째 페이지

숙소-컨딩-국립해양 생물 박물관 관람-숙소(연습)-저녁식사

맛있게 먹은 조식!

수족관에서 넋을 놓고 있는 나

대왕가오리

수족관에서 넋을 놓고 있는 나

수족관에서 넋을 놓고 있는 나

드디어 대만에 온지 둘째날이 되었다. 아침 7시에 일어나 조식을 먹으러 나갔다. 조식 뷔페에 와플, 식빵, 감자튀김 등등 우리가 아는 메뉴도 있었지만, 처음 보는 것도 많았다. 오늘 먹으려다 만 것이 돼지고기를 계속 볶아서 가루로 만든 건데 내일은 꼭 먹어보고 싶다.. 식사를 마친후 방으로 들어가 나갈 준비를 하고 나와서 뜨는 마음으로 버스를 탔다. 왜냐하면 오늘 가는 해양생물박물관에 가는 날이었기 때문이다. 거기 가는데 그렇게 들뜰 일이냐고 할 수도 있지만, 어릴 때부터 해양생물이라면 난리치는 나였기 때문에 이런 건 당연한 것이었다.

박물관으로 가는 길에 가이드 선생님께서 간단한 실생활에서 쓸 수 있는 중국어를 알려주셨지만, 솔직히 제일 기억 나는 거는 니하오 밖에 없는 것 같다. 선생님의 얘기를 듣다가 스르륵 잠이 들어버려서 시간 가는 줄 몰랐던 것 같다. 짧은 듯 길었던 2시간이 지나 해양박물관에 도착하였다. 도착해서 범고래 분수대에서 단체 사진을 찍고 박물관 안으로 들어갔다.

숙소-컨딩-국립해양 생물 박물관 관람-**점심식사- 숙소(연습)-저녁식사**

lunch

VS

dinn

이동하다 보니 코피가 멈추고, 식당에 도착했다. 오늘 점심은 생선 요리 위주였는데,, 맛은 다 너무너무 좋았지만 분명 방금까지 물고기들 보다 왔는데 물고기를 먹어서 약간 미안해지기도 했다. 그렇지만 모든 메뉴가 다 맛있어서 상관 없었던 것 같다. 특히 전복이..크.. 쓰는 지금도 다시 먹고 싶은 맛이었다. 한국에 돌아와서 엄마께 전복찜을 해달라고 졸라서 먹었는데, 역시 현지의 맛이 최고인 것 같다.

그리고 선생님들이 숙소로 돌아오자 하셔서 숙소로 돌아왔다. 쉬고 싶었지만 내일 발표를 위해 연습하고 나니 저녁시간이 되어서 저녁을 먹으러 나갔다. 저녁은 고깃집이었는데 배가 터질 것 같았다… 오늘 너무 많이 먹어서 내일 교복이 안 맞는거 아닌가 모르겠다..ㅎㅎ

rd DAY_중요한 페이지

숙소-평시중학교-보얼 예술특구-저녁식사-쇼핑몰-숙소

셋째날은 대만에서 가장 중요한 날이었다. 사실 내가 가장 긴장하고 준비한 시간이기도 했다. 그동안 우리 나라 사람들 앞에서는 스피치를 많이 해봤는데, 한국어를 모르는 사람들 앞에서 이야기를 하려니 쉽지 않을 것 같았다. 그래서 대만에 오기 전에 이야기할 내용을 생각하고 전달할 수 있는 자료를 만들기 위해서 많은 노력을 했다. 거의 2주일 정도 ppt 자료를 만드는 데 시간을 쓴 것 같다. 처음에는 전달하고 싶은 내용이 많아서 분량이 많았었는데 선생님들과 함께 의논하면서 핵심적인 내용만 담아서 정리하게 되었다.

떨리는 마음으로 평시중에 도착했을 때도 내 머릿속은 계속 발표 내용만 맴돌만큼 긴장하고 있었다. 그런데 발표장으로 들어가니 올 5월에 우리 반에 왔던 제레미가 너무 반갑게 맞아주면서 편지도 전해주었다. 그 자리에서 읽지는 못했었는데 그 친구의 마음이 전해져서 마음이 좀 편안해졌었다. 나중에 숙소에서 돌아와서 읽은 편지는 감동적이었다.

그리고 평시중학교 친구들과 인스타그램으로 연락을 많이 할 수 있게 되었는데, 내가 아직 인스타그램에 익숙하지 않아서 잘 소통할 수 있을 지 조금 걱정이 되기도 했다. 그리고 교실에서 너무 긴장해서 친구들과 적극적으로 소통을 하지 않았던 건 아닐까? 하는 고민도 있었다. 그런데 모든 일정을 마치고 숙소에 돌아와서 깜짝 놀랐다. 같이 수업을 했던 친구들 뿐만 아니라 다른 학년 친구들도 정말 연락을 많이 해주었다. 일일이 답을 하면서 너무 설레고 기뻤다. 아마 한국으로 돌아가서도 계속 연락을 할 수 있는 친구들이 많아질 것 같은 기대가 생겼다.

내가 만난 친구들

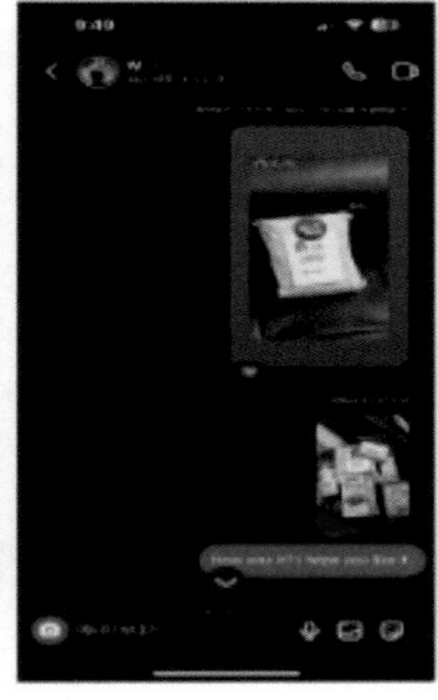

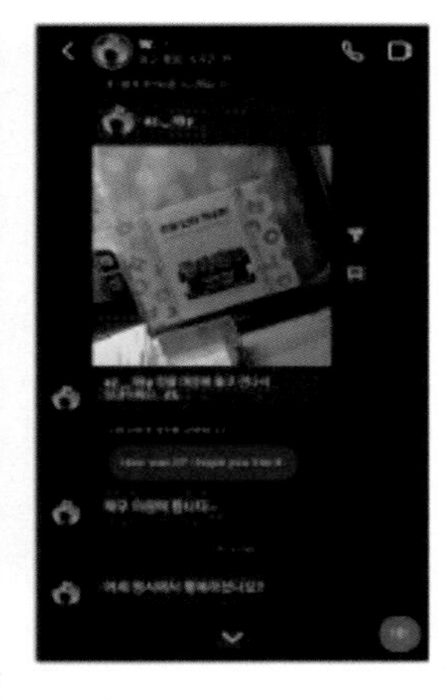

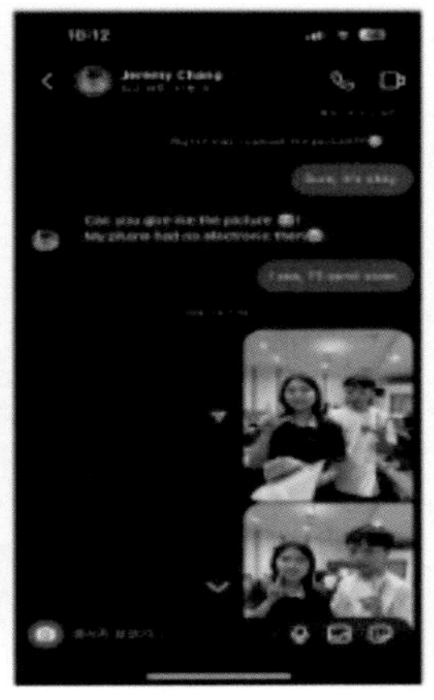

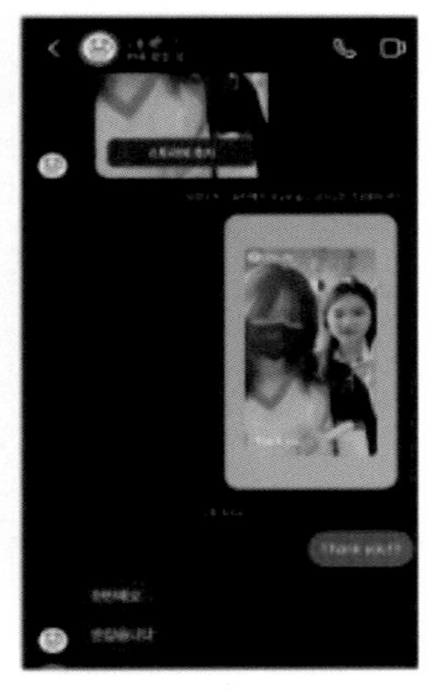

친구들에게 나눠줄 선물을 정말 고민을 많이 했었는데, 받은 친구들이 좋아해주어서 기뻤다. 특히 한글 책갈피를 재미있어 하고 좋아해주었다. 내가 친구들이랑 처음 만나면 적극적으로 못하는 부분이 있어서 내 인스타 주소와 간단한 메모를 붙여서 선물을 미리 준비해갔는데, 덕분에 학교를 나오고 나서도 친구들과 쉽게 연락할 수 있었다.

숙소-평시중학교-보얼 예술특구-저녁식사-쇼핑몰-숙소

평시중학교에서의 모든 일정을 마치고 내가 기대하던 보올예술지구를 방문하게 되었는데, OT때 선배님들이 꼭 사야한다고 하신 써니힐 펑리수가 생각이 났다. 그리고 한국에 있는 우리 가족과 친구들 선생님들이 떠올랐다. 이제 돌아갈 시간이 다 되어가는 구나. 라는 마음이 들었다. 기쁜 마음으로 선물을 챙겨서 숙소로 돌아왔다. 그리고 친구들이랑 숙소 근처에 있는 쇼핑몰을 구경하러 갔었는데, 평소에 가는 쇼핑몰과 비슷해서 익숙한 기분이 들었다.

이제 정말 마지막 밤이구나. 정말 꿈 같은 시간들이었다.

ast DAY

숙소-연지담, 용호탑-점심식사-가오슝공항-김해공항

오늘 드디어 대만에서의 마지막날이다. 아침에 일어나 짐을 정리하는데 벌써 마지막 날인 것이 믿겨지지 않았다. 분명 대만에 오려고 짐을 싸고 있던 게 어제 같았는데 벌써 돌아가려고 짐을 싸고 있는 날 보니 이제 집에 갈 시간이 다가온다고 느껴졌다. 짐을 다 싸고 다시 버스에 올랐다. 대만에서의 마지막 일정을 하러 출발 하였다.

버스를 타고 도착한 곳은 마지막 여행지인 연지담에 도착했다. 용호탑으로 가는 길은 걸어 갔는데, 오늘이 체감상으로 가장 더웠던 것 같다. 용호탑은 용의 입으로 들어가서 호랑이의 입으로 나와야 우리에게 있는 액운이 떨쳐나간다고 하였다. 용호탑 안에는 다양한 신들이 있었다. 근데 기분 탓이었는 진 몰라도, 몸에 악귀가 많았는지 용호탑을 지나는 동안에 발목이랑 어깨가 눌리는 느낌이 들었다. 용호탑에서 아쉬웠던 점은 아직 공사 중이어서 제대로 된 모습이 아니여서 아쉬웠던 것 같다. 근데 이 공사가 1년이나 걸린다고 해서 더 놀랐던 것 같다. 용호탑을 지나 천천히 걸어 오고 선생님들이 사탕수수를 사주셨는데… 너무 자연적인 맛이었는데 내 취향은 아니었다.

숙소-연지담, 용호탑-**점심식사-가오슝공항-김해공항**

그리고 차에 타서 점심을 먹으러 갔다. 점심은 우육면을 먹으러갔다. 원래 안 사주시는 건데 선생님들께서 사주셔서 감사했다. 우육면은 맛있었고, 반찬인 오이가 너무 내 취향이었다. 그리고 그 우육면 가계가 기안84가 갔던 곳이어서 싸인 사진도 찍고 드디어 공항으로 출발했다.
가오슝 공항에 도착해서 짐을 맡기고 가이드 선생님과 작별인사를 하였다. 진짜 이제 대만에서 마지막이겠구나.. 하고 생각했다. 공항에서 출국 심사를 하는 내내 왜 그렇게 아쉽던지..
출국심사가 끝난 후 면세점에서 가족들 선물을 조금 더 샀다. 가족들이 좋아할 모습을 생각하니 더 싱글벙글 웃음이 피어났다.
그리고 비행기에 올라탔다. 그리고 스르륵 잠에 들었다.
눈을 뜨니 김해공항이었다. 즐겁고, 신기했던 4일이었다.

평시중학교 수업(2시간) 참여를 통해 배운 점과 느낀 점을 쓰고, 수업 중 경험한 문화적 차이와 이를 어떻게 이해하게 되었나요?

평시중학교 3학년 9반에서의 첫 수업은 음악 시간이었습니다. 수업 내용은 미국의 전통음악 중 로컬 뮤직과 블루스의 차이점, 블루스의 역사와 주로 쓰이는 음정 코드에 대한 것이었습니다. 사실 저는 미국 음악이라고 하면 컨트리 음악만 생각했는데, 블루스도 정말 매력적인 장르라는 걸 알게 되었습니다. 음악에 대한 정보가 많지 않고, 중국어도 전혀 알아듣지 못해 수업을 따라갈 수 있을지 걱정했지만, 다행히 선생님께서 미리 자료를 준비해 주셔서 수업을 즐겁게 들을 수 있었습니다.

2교시는 중국어 수업이었습니다. 처음에는 한자로 된 내용이 나와 당황스러웠지만, 이어진 게임에서 평시중 친구들이 한국어로 표현한 단어를 맞추는 활동을 통해 즐겁게 참여할 수 있었습니다. 평시중학교 친구들이 한국어로 말하면 내가 무엇인지를 맞추는 게임이었다. 게임을 하면서 '이게 맞나?' 하면서 풀었는데 왜 다 정답이었는지는 모르겠다. 그리고 내가 발음 하면 친구들이 중국어로 맞추는 거였는데 전부 다 맞춰서 놀랐다. 퀴즈가 끝난 후 선생님께서 중국어와 한국어 발음이 비슷한 이유에 대해 설명해 주셨는데, 버디 친구가 영어로 해석해 주어 내용을 이해할 수 있었습니다.

모든 수업을 경험한 건 아니지만, 대만 친구들과 함께하는 수업 분위기는 우리나라와 크게 다르지 않다고 느꼈습니다.

다만 수업 전 점심시간의 모습은 우리와 달라 흥미로웠습니다. 우리는 모두 함께 급식실로 가서 식사하지만, 펑시중학교에서는 교실에 급식차로 도시락통에 가져와서 각자의 음식을 담아 먹는 방식이 새로웠습니다. K-급식이 '왜 세계에서 궁금해?'하며 대단하다고 이야기하는 지를 직접 경험하게 된 순간이었습니다.

또한 쉬는 시간마다 잠을 자는 친구들이 많았는데, 이는 대만에서 돌아온 후 친구들과 이야기하며 이유를 알게 되었습니다. 대만에서는 우리보다 등교 시간이 빠르고, 대부분 학원에 다니며 늦게까지 공부하다 보니 피곤해서 쉬는 시간에 잠을 청하는 경우가 많아서 그런 것 같았습니다.

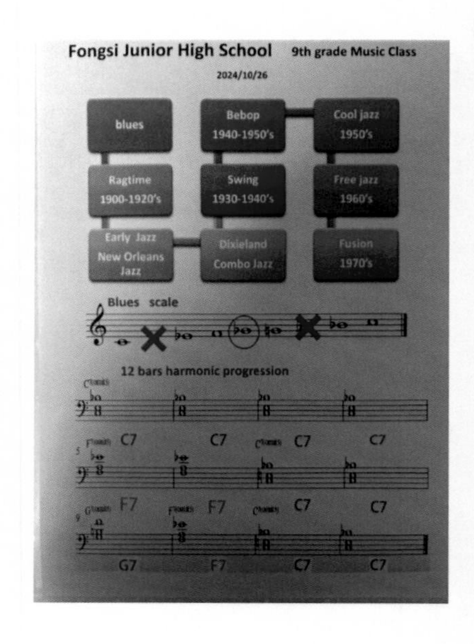

대만 가오슝의 명소 중 가장 인상 깊었던 두 곳을 선정하고, 그 이유와 느낀 점은?

① 해양박물관

가오슝의 해양박물관은 제가 가장 기대했던 장소 중 하나였습니다. 박물관으로 가는 길에 가이드 선생님께서 실생활에서 쓸 수 있는 간단한 중국어를 알려주셨지만, 솔직히 기억에 남는 건 “니하오” 정도였습니다. 선생님의 설명을 듣다가 잠이 들었는지, 어느새 2시간이 훌쩍 지나 박물관에 도착해 있었습니다. 도착하자마자 범고래 분수대 앞에서 단체 사진을 찍고 박물관 안으로 들어갔습니다. 박물관 안에서는 책에서만 보던 물고기들이 눈앞에 있어 저절로 입꼬리가 올라갔습니다. 귀여운 물고기들이 저를 반기는 것 같아 더 행복했습니다.

곳곳마다 다양한 종류의 물고기들이 있어 지나가는 곳마다 감탄이 나왔고, 선생님들과 사진을 찍으면서 즐거운 시간을 보냈습니다. 특히 하늘을 나는 것처럼 수영하는 벨루가의 모습에 마음을 빼앗기고 말았습니다.

박물관을 둘러보다 동생에게 줄 기념품과 제 선물도 샀고, 길이가 세계에서 가장 길다는 미역 앞에서 사진도 찍었습니다. 또 귀여운 상어들도 볼 수 있었는데, 그중에서 쿠키커터 상어가 가장 기억에 남았습니다. 이 상어는 참치나 고래 등의 살을 한입씩 베어 먹는데,

그 모양이 꼭 쿠키 모양처럼 잘려 나가서 “쿠키커터 상어”라는 이름이 붙었다고 합니다. 생긴 것도 은근히 귀여워서 더 인상적이었습니다.

가오슝 해양박물관에서는 특히 주변 생태에 대한 연구가 우리나라보다 활발히 이루어지고 있다는 느낌을 받았습니다. 또한, 아시아 최대의 해저 터널을 실제로 보니 사진으로 볼 때보다 훨씬 더 웅장하고 인상적이었습니다.

② 불광사

첫째 날 방문한 불광사는 그 규모와 구성에서 깊은 인상을 주었습니다. 가이드분의 설명을 들으며 불교의 다양한 내용이 한 곳에 모여 있다는 이야기가 특히 흥미로웠습니다. 산 전체가 사찰로 이루어져 있다는 사실도 놀라웠고, 중국문화권에서 불교가 얼마나 중요한 위치에 있는지 실감할 수 있었습니다. 특히 거대한 불상을 중심으로 웅장하게 배치된 구조가 눈길을 끌었습니다.

그렇지만 섬세하고 조용한 분위기의 한국 사찰과는 또 다른 매력이 느껴졌습니다. 우리나라 사찰들은 주로 산속에 위치하여 수양을 위한 조용한 분위기를 갖춘 반면, 불광사는 활기가 넘치고 많은 사람들로 북적여 새로운 느낌이었습니다. 나중에 돌아와 불광사에 대해 찾아보니, 이곳에 불교 대학이 있어 종교 교육을 위한 방문이 많다는 사실을 알게 되었습니다. 같은 불교 문화권이라도 불교를 대하는 방식과 그 태도가 다름을 깨닫게 된 흥미로운 경험이었습니다.

또한 운세를 보았는데, "성공에는 성공의 길이 있다. 일을 순조롭게 하고 이치가 통해야 하며, 인간관계 역시 잘 소통된다"라는 말이 나왔습니다. 이 말이 왠지 지금의 저에게 꼭 맞는 조언처럼 느껴져 더욱 마음에 남았습니다.

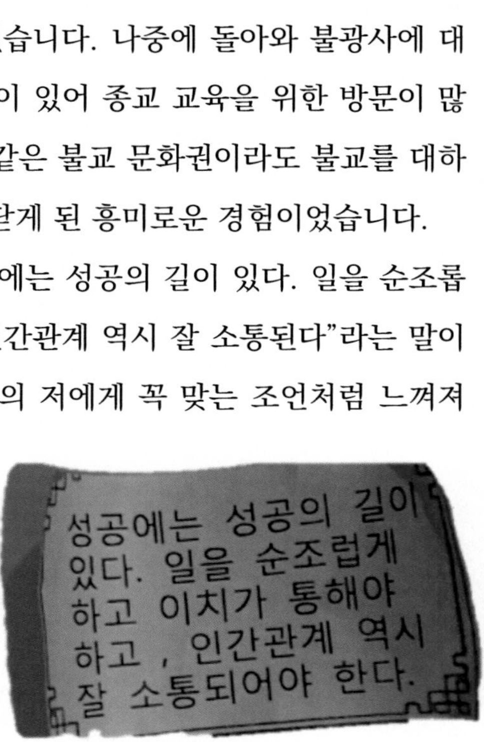

문화교류를 통해 새롭게 배우게 된 점과 앞으로의 삶에 대한 변화된 자신의 태도는?

이번 문화교류를 통해 단순히 다른 나라의 문화를 접하는 것을 넘어, 그들의 사고방식과 삶의 방식을 이해하고 존중하는 태도를 갖게 되었습니다. 특히 가족과 함께하는 여행에서 만나는 외국의 생활 모습과 학교를 통해 실제 삶을 살아가는 친구들을 만나는 것은 큰 차이가 있었습니다. 이번 경험을 통해 외국에서의 삶이 어떤지 직접 느낄 수 있었고, 이는 단순한 관광 이상의 의미 있는 기회가 되었습니다.

또한, 언어의 가치에 대해 새롭게 깨달았습니다. 요즘 AI 기술을 통해 의사소통이 쉬워졌다고 생각할 수 있지만, 실제로 함께 살아가며 소통할 때는 AI만으로는 부족하다는 것을 느꼈습니다. 간단한 인사말이라도 현지 언어로 배우고 사용하는 것은 그 나라의 문화를 이해하는 첫걸음임을 깨닫게 되었습니다.

이번 교류를 통해 학습 환경에 대한 인식도 달라졌습니다. 예전에는 '우리나라만 이렇게 공부를 많이 하는 것 아닌가'라는 불만이 있었지만, 다른 나라 친구들도 CRAM SCHOOL에서 방과후와 주말에도 열심히 공부하는 모습을 보면서 생각이 바뀌었습니다. 이를 통해 우리나라의 교육 환경에 대한 불만이 줄어들었고, 다른 나라 친구들 역시 학습에 열정을 가지고 있다는 점에서 공감할 수 있었습니다.

무엇보다, 이번 문화교류를 통해 제 삶의 태도에 있어 자신감을 얻게 되었습니다. 인솔해 주시는 선생님들이 계셨지만, 가족이 아닌 사람들과 함께 해외에서 잘 생활할 수 있겠다는 자신감이 생겼습니다. 앞으로 공부하는 분야를 깊이 탐구하기 위해 유학을 생각할 때가 오면, 이번 경험을 바탕으로 충분히 해낼 수 있다는 용기가 생겼습니다.

이와 같은 문화교류 경험은 단순히 학문적 지식을 넘어서, 제 삶을 대하는 태도와 가치관을 풍부하게 만드는 소중한 밑거름이 되었습니다. 앞으로도 이런 기회가 주어진다면 적극적으로 참여해 나의 사고를 더욱 깊게 하고, 풍부한 경험을 쌓고 싶습니다.

AI 수학교실

2025.01.12, 수학문화관

처음가기 전에는 내가 코딩에 대해서도 잘 못 하고, 몰라서 가서 못 하면 어쩌지 라는 고민이 제일 많았다. 그래도 가서 해보면 잘 할 수 있을거라는 믿음 아닌 믿음을 가지고 가게 되었다. 처음 시작하기 전에 무엇을 활용하는 지 알려주셨다. 사용한 것은 Python을 활용한 아나콘다라는 프로그램을 활용해서 진행하였다.

선생님들께서 미리 만드신 틀을 가지고 연습하는데 처음할 때는 괜찮았는데 뒤로 가면 갈수록 헷갈려서 힘들었다. 한 글자만 잘못써도 인식을 못해서 계속 확인 하면서 하였다.

처음에 코딩에 대한 두려움이 있어서 더 그런 것 같았다. 그래도 정신 차리고 천천히 열심히 하다보니 점점 되고 있었다. 마지막에 원하는 결과가 나오진 않았지만, 그래도 포기하지 않고 마지막까지 노력 했다는 사실이 나에겐 더 중요했던 것 같다.

이제는 처음 해보는 것을 두려워하지 않는 연습부터 해야겠다는 생각이 가장 먼저 들었다.

잘 안되는 부분은 집으로 돌아와서 다시 한 번 해 보았다. 어려운 부분이 있었는데 따로 물어볼 곳이 없어서 조금 곤란했다.

그리고 이 날 나는 내가 계속 주변 아이들과 나를 비교 하고 있다는 것을 느꼈다. 나는 안 한다고 생각 했었지만, 계속 다른 아이들과 나를 비교하고 있었다. 다른 친구들이 나보다 더 먼저 배워서 잘 할 수도 있는 건데 계속 내가 늦었다, 나는 못하나보다 라는 생각을 하고 있었다는 것을 알았다. 지금은 계속 줄이려고 노력하고있다.

다른 친구와 함께 서로의 부족한 점을 채우는 것은 좋지만, 다른 친구를 보고 나를 깎아내리는 것은 아니라고 생각한다. 계속 나도 그렇게 행동해서 나에게 상처를 입혔으나, 이제는 바꾸려고 노력하고 있다. 예전에 아빠께서 하신 말씀이 있었다. "계속 너를 다른 사람과 비교하면 너가 더 힘들어져, 그리고 넌 충분히 잘하고 있어. " 나는 계속 이 말을 들었지만 바뀌지 않았다. 하지만 이제는 다른 사람만 보고 달리지 않고 내 길을 보고 달릴 것이다.

수학을 코딩으로 배우는 과정을 배워보려고 갔었지만, 나는 코딩을 할 수 있게 된 것 보다 소중한 경험을 얻게 되었다.

LGAI 청소년 캠프

2025.02.14~, 서울대

LGAI 청소년 캠프는 사실 작년에 준비를 했었는데, 불합격을 한 경험이 있어서 올해는 도전을 하고 싶지 않았지만, 마지막 기회라는 생각으로 도전하게 되었다. 작년에는 플라스틱 쓰레기 분류에 대한 이야기를 했었는데, 올해는 내가 연구하고 있던 미세플라스틱에 대한 이야기를 했다. 정말 감사하게도 합격 통지를 받게 되었다.

기말고사를 마치고 결과가 좀 아쉬워서 씁쓸해하고 있었는데, 정말 선물 같은 기회가 되었다.

두근거리는 마음으로 서울역에 도착했고 1박 2일로 워크숍이 시작되었다.

누구나 한 번쯤은 다녀보고 싶은 학교 서울대에서 캠프 시작이 진행되었는데, 4인 1조가 되어 전체적인 팀프로젝트를 우리 스스로 해 나가는 과정이다. 이번 1박 2일 만남은 AI에 대한 여러 강의를 듣고 우리가 아이디어를 기획하는 첫 단계였다.

첫째날에 AI 에 관한 강연을 들을때 선생님께서 예전에는 코딩을 잘 하는 것이 더 매력적인 직업을 가질 수 있었지만, 현재는 컴퓨터 코딩을 하는 사람 보다 AI 를 잘 활용할 수 있는 사람이 더 중요하다고 하셨다.

분명 몇년 전 까지만 해도 코딩을 잘 하는게 중요하다고 들었던 것 같았는데, 세상이 진짜 빠르게 변하고 있는 것 같다. 이 이야기를 들으면서 캠프에 가기 전에 할아버지를 만나서 들었던 이야기가 생각이 났다. 할아버지께서 나에게 " 세대간의 간격이 몇년인 것 같냐? " 라는 질문을 나에게 하셨다. 나는 30~40 년이라 답을 했었고, 아빠는 10년 정도라고 답하셨다. 할아버지는 나의 답은 보통 정의 하는 모범 답안이라 하셨고, 아버지께서 하신 말씀은 현재 반하고 있는 것이라고 하셨다.

그래서 나는 AI 도 10년 만 더 지나면 훨씬 더 많은 정보를 학습 하여서 더 커진다면 우리는 어떤 직업을 가져야 유리해 질까? 이런 고민을 해볼 수 있었다. 또, 더 나아가서 내가 하고 싶은 직업에서 이를 어떻게 이용하면 좋을 지에 대해서도 고민 해보았다.

같은 팀 친구들과 함께 팀프로젝트를 하는 것은 나에게 무척 신나는 일이다. 사실 우리 학교 친구들은 내가 관심있는 분야에 흥미가 있는 친구들이 적어서 이야기를 나누기 힘들었는데, 나와 비슷한 생각을 가진 친구들과 함께 새로운 것을 만들어내는 일은 무척 신나는 시간이다.

처음 어색함에 큐브를 꺼내서 놀고 있었는데, 같은 팀원 친구들도 큐브를 가져와서 하고 있다고 서로 눈이 마주치고 깜짝 놀랐다. 큐브라는 공통관심사가 있으니 친해지기 조금 더 쉬웠다.

우리가 처음 정한 주제는 음식에 있는 '알레르기 유발 성분을 알려주는 AI만들기' 였다. 주제가 정해지니 아이디어들이 술술 나왔다. 그리고 초기기획서를 만드는 일도 어렵지 않았다. 이 과제를 잘 해낸 팀은 미국견학이라는 엄청난 인센티브가 있는데, 우리 팀이 그 길에 가까워진 것 같았다. 아이디어를 공유하는 시간이 있었는데, 우리 주제를 들은 교수님께서는 안타깝게도 작년에 이미 수상을 한 내용의 주제라고 하셨다. 그때부터 우리 팀은 멘붕이었다. 그렇지만 우리는 우리가 이렇게 대단하 주제를 생각해 낼 수 있는 팀이니까 새로운 주제를 얼마든 지 찾을 수 있을 것 같다고 이야기 하면서 서로에게 힘이 되어 주었다.

결국 우리는 새로운 주제를 찾게 되었고 그 주제에 대해서 지금은 탐구활동을 이어나가고 있다.

끝나지 않은 이야기

내가 그려나갈 나의 미래

나는 2025년 2월 17일 현재, 태어난지 4900일이 되었다. 부모님께서는 아직 나는 어리기 때문에 미래에 대한 걱정보다는 많은 경험을 해 보라고 이야기 해주신다. 지금 눈 앞에 주어진 결과들 보다는 내가 앞으로 할 수 있는 일들이 더 많아질 것이라고 격려해주신다. 그리고 나의 꿈은 늘 변할 수 있고, 그 변화가 결코 나쁜 것이 아니라고 이야기 해주신다. 이런 이야기들이 나에게 여러 가지 도전을 하게 해 주는 힘이 되는 것 같다.

중학교에 들어가서 중간고사, 기말고사를 치르게 되었는데, 내가 생각했던 것 보다 좋은 결과가 나오지는 않았다. 7번의 시험을 치르는 동안 나는 여러 가지 공부 방법을 시도해 보았다.

처음에는 교과서의 내용을 정리하고 궁금한 부분을 찾아보면서 공부를 했다. 그러다 보니 진도를 나가기가 너무 힘들었다. 세계사를 공부할 때, '알렉산드리아'에 대해서 궁금해졌다. 사실 '알렉산드리아'라는 단어만 외운다면 그냥 시험문제의 정답을 맞출 수 있는 부분이었다. 그렇지만 나는 '알렉산드리아'가 정말 궁금했고, 교과서에 없는 '7대 불가사의'에 대해서 더 찾아보았다. 그러다 유클리드가 알렉산드리아 출신이라는 것을 알게되었고, 유클리드 기하학에 대한 책을 찾아서 읽어보기도 했다.

이렇게 공부하는 모습을 지켜보시던 부모님은 조금 답답해 하셨다. 당장 시험이 내일 모레인데, 내가 하는 방식이 효율적 이지 않다고 이야기 해주셨다. 그리고 나도 시험을 보면서 시험을 보기 위한 공부는 조금 다른 방법을 찾아야겠다는 생각을 하게 되었다.

그래서 시험 기간에 공부하는 방법과 내가 평소에 공부하는 방법을 나누어서 해 보게 되었다. 시험 기간이 아닐 때에는 학교에서 수업을 들으면서 궁금한 점들을 기존에 내가 하던 방식으로 책도 찾아서 읽고 인터넷도 찾아보면서 궁금증을 해결해 나갔다. 그리고 시험 기간이 되면 집중적으로 시험을 보기 위한 공부를 해 나갔다. 그러다 보니 공부할 내용들이 머리 속에 정리가 되면서 시험 기간 공부가 조금 수월해 지기 시작했다.

지금은 이 방법이 균형을 잡아가고 있다. 하지만 나의 호기심과 궁금증을 해결해 나가기 위한 마음은 변하지 않았다. 그래서 지금도 공부방법으로 부모님과 갈등을 겪기도 한다.

나는 내 미래를 잘 이끌어가고 싶은 마음에 부모님과 이야기도 많이 나누는 편이다. 아주 어렸을 때 부터 부모님께서는 어떻게 하면 내가 행복하게 살 수 있을 지에 대해서 고민을 많이 해 봐야 한다고 이야기 해 주셨다. 그래서 나는 내가 좋아하는 것을 찾기 위한 노력을 계속해 나가고 있다.

내가 처음으로 스키를 배운 것은 6살이었다. 사실 나는 운동신경이 그렇게 좋지 않아서 겁이 많이 났었다. 같이 스키를 배우는 친구들 중에 몇 명은 춥고 힘드니까 그만 하겠다고 중간에 내려가야겠다고 했다. 그래서 나도 그 친구들과 함께 슬로프에서 내려왔다. 그때 엄마가 슬로프 아래에서 기다리고 계셨는데, 다른 엄마들은 따뜻한 곳으로 아이들을 바로 데리고 가셨는데, 엄마는 왜 내려왔냐고 먼저 물어보셨다. 사실 나는 그냥 친구들이 내려가고 싶어해서 내려온 것이었기 때문에 대답을 할 수 없었다. 지금 그만두겠다고 하면 다음에는 기회를 주지 않겠다고 하셔서 나는 다시 한 번 용기를 내서 선생님과 함께 다시 슬로프에 올라갔다. 그리고 두려움을 극복하고 잘 배울 수 있었다. 그날 엄마가 그냥 나를 따뜻한 곳으로 바로 데려가시고 왜 그만 하려고 하는 지 물어보지 않으셨다면 나는 스키를 배울 수 없었을 것이다.

아주 어린 나이였지만, 어떤 도전이든 시작할 때 내가 왜 해야 하는 지, 왜 하고 싶은지, 하기 싫다면 왜 싫은 것인지에 대해서 생각해야한다고 배우게 되었다.

지금 내가 여러 분야를 두려움 없이 받아들이고 나 스스로 생각하는 방법을 생각해 보고 있는 것은 이런 가르침 덕분이라고 생각한다.

처음부터 과학자의 길을 꿈꾸지는 않았지만, 나 스스로 생각하기에 내가 가장 좋아하는 분야이고 이 길을 가면 내가 행복한 삶을 만들어 갈 수 있다고 생각한다.

최근에는 내가 꿈꾸는 과학자의 길이 나에게 맞는 지 궁금했다. 그래서 교육청에서 하는 진로상담을 신청해서 상담을 받기도 했다. 상담선생님께서 미리 나의 학업스타일과 상태 그리고 관심사 등에 대해서 알아보는 질문지를 보내주셨고 그 내용을 분석한 것을 바탕으로 상담해주셨다.

나라는 사람에 대해서 가족이 아닌 다른 사람이 어떻게 바라보는 지 내가 잠재의식 속에 가지고 있는 다른 재능은 없는 지 점검해 보는 기회가 되었다.

나는 과학자에 적합한 성향과 재능을 가지고 있다고 결과가 나왔다. 상담선생님께서도 내가 나에 대해서 잘 알고 있고 내가 가진 능력을 바탕으로 노력한다면 좋은 과학자가 될 수 있을 것이라고 이야기 해주셨다. 처음에는 큰 기대를 하지 않고 했던 상담이었지만 내가 좀 더 열심히 하고 싶다는 생각을 하게 해주는 시간이었다.

시골에 살고 있어서 정보가 부족하다고 생각하는 친구들이 있다면 정말 이 상담은 추천해 주고 싶다. 나에 대해서 정말 전문적으로 상담해 주신다.

나의 환경과 상황에 불평하다 보면 내가 가진 많은 기회를 놓치게 되는 것 같다. 긍정적인 마음으로 내 주위를 둘러본다면 내가 할 수 있는 일 들이 더 많아진다.

요즘은 내가 어디에서 공부를 계속해 나가면 좋을 지에 대해서 고민을 많이 하고 있다. 연구자가 되고 싶은 나의 꿈을 이룰 수 있는 곳은 어디일까?

그래서 나는 가족들과 여행을 가면 꼭 부모님께 그 나라에서 가장 좋은 과학기술대학을 구경하게 해달라고 한다. 그래서 관광코스와는 상관 없는 곳에 가게 될 때가 많다.

최근에 홍콩의 홍콩이과대학과 싱가포르의 NUS를 방문했었는데, 그곳에서 공부하고 연구하는 많은 사람들의 열기를 느낄 수 있어서 무척 설레었다. 나도 앞으로 이렇게 넓은 곳에서 많은 사람들과 함께 세상에 필요한 연구를 해 나가고 싶다.

나는 그동안 운이 좋게 좋은 부모님과 환경 그리고 학교에서는 좋은 선생님들과 친구들과 함께 성장할 수 있었다. 간혹 생기는 어려운 문제들 속에서 고민을 하고 방황하는 순간들도 있었지만, 나의 미래를 꿈꾸면서 극복해 나가고 있다.

나는 평범한 중학생이다.

그렇지만 내가 만들어 나갈 나의 미래 이야기는 평범하지 않은 이야기들로 채워나가기를 바란다.

나는 앞으로도 나를 항상 응원할 것이다.